COVID-19時代のPPEの着脱	**0**
気道確保	**1**
人工呼吸	**2**
気管挿管	**3**
胸骨圧迫	**4**
除細動	**5**
圧迫止血法	**6**
包帯法	**7**
注射法	**8**
点滴法	**9**
末梢静脈確保	**10**
中心静脈カテーテル挿入	**11**
採血法	**12**
腰椎穿刺	**13**
骨髄穿刺	**14**
胸腔穿刺	**15**
腹腔穿刺	**16**
導尿法・尿道カテーテル留置	**17**
ドレーン・チューブの管理	**18**
胃管の挿入と管理	**19**
局所麻酔法	**20**
創部消毒・ガーゼ交換	**21**
簡単な切開排膿	**22**
皮膚縫合	**23**
軽度外傷の処置	**24**
脱臼の徒手整復	**25**
軽度熱傷の治療処置	**26**
感染制御	**27**
ALS アルゴリズム 糸結び（結紮） 自己評価表	**付**

This book is originally published in Japanese
under the title of:

KENSYUI SHUGI MANYUARU
(Technic Manual for Resident 3rd Edition)

Editors:
INOUE, Yoshimoto et al.

INOUE, Yoshimoto
 Kyoto Min-iren Chuo Hospital

©2010 1st ed., ©2022 3rd ed.

ISHIYAKU PUBLISHERS, INC.
 7-10, Honkomagome 1 chome, Bunkyo-ku,
 Tokyo 113-8612, Japan

推薦の ことば

　コロナ禍も満2年に及ぶ．ワクチン接種も着実に増加していたのに，2021年夏に第5波を迎えてしまった．緊急事態宣言下でのオリンピック開催の直後にピークをきたし，中等症以上なのに入院できず，自宅待機のまま在宅死に至る悲劇が次々に報道された．感染者数や重症者数や死亡者数を欧米諸国と比べると，ピーク時においてすらかなり少なく，かつ人口当たりの病床数自体は数倍の日本なのに，なぜ医療逼迫が起きたのか？

　「ICUなどの急性期重症者用病床や人的配置が，欧米先進国標準をぐっと下回るから」が，答えの1つであろう．米国と比べると人口当たりのICUは6分の1，2020年春に医療逼迫に見舞われたイタリアと比べても4分の1でしかない．平時の医療的備えが足りないというか，ゆとりが全くないのである．

　2つ目は，病院総合医の不足の放置であろう．日本の医学界の指導層にその必要性がほとんど理解されていない．コロナ患者を担当する救急医や感染症科医や集中治療医や呼吸器科医の不足は指摘された．その通りだが，これらの専門医の活躍を支える病院総合医の質量こそが足りないのだ．人口を換算してもコロナ死亡者数が不幸にも日本の10倍以上の米国での入院医療の底辺は，約7万人に上るホスピタリスト（病院総合医）が率先して担った．

　ついでにもう1つ．日本のかかりつけ医は，プライ

マリケアや家庭医療の基本的な修練を受けていなくても名乗れるわけだが，総合医としての診療の幅が必ずしも担保されていないことが致命的な弱点だと思わされた．

さて2004年に始まった新医師臨床研修制度であるが，医局派遣機能の弱体化に困り切った大学当局の声が横車となり，約10年間は制度の'弾力化'がまかり通った．すなわち，2年間の研修義務年限が実質的に1年間に短縮され，2年目は将来の専門性の方向に舵を切る風が吹き荒れた．2020年にこの風が止み，「'弾力化'の廃止」・「2004年への回帰」に至ったことは慶賀にたえない．卒直後の基本的臨床能力のどっしりとした構築は，総合医（病院総合医から家庭医まで）を志す研修医にとってだけでなく，専門医としての将来の先端医療分野での開花にとっても貴重な財産になりうるからである．高き山の裾野は広く，深きボーリングの直径も大きいものだ．コロナ禍を積極的に担える若手医師が，'弾力化'から遠かったのは自明であろう．

厚労省の到達目標が一貫して変わらなかったのは幸いだった．一旦定まった必修手技をすべて収載する本書の初心が揺るがなかったのも良書の名に値する．

"See one, do one, teach one." がかなり浸透してきた日本だが，臨床現場での良書の価値は衰えないだろう．本書がポケット版サイズで手軽に利用できることも嬉しい．古希を超えた筆者は，若き日に「鬼手仏心」と教わった．鬼手仏心現代版である本書のすべての項目の味読を強く推薦したい．

2022年1月

松 村 理 司

（洛和会本部参与・洛和会京都厚生学校長）

序

　すでに好評をいただいている『研修医手技マニュアル』ですが，持続するコロナ禍のなか，今回改訂第3版を出版することができました．

　本書に載せられている手技は，厚労省が定める初期臨床研修の到達目標に掲げられた「経験すべき基本手技」に完全に基づいており，いわゆるベッドサイド手技です．すべての医療従事者が知るべき項目を網羅しました．本書に載せた手技は，たちまち患者さんの苦痛をとるものや，正しい診断・治療にむすびつくものが多くあり，医師として患者さんの役に立ったと，こころから実感することができるものです．ぜひ多くの方に，多くの場面で，気軽に使っていただきたく思います．

　初版以来，本書の特徴は，次の3つに集約されます．
　一　類書にないポケットサイズであること．大判本では不可能であるベッドサイドへの持ち込みが可能です．
　二　Point・コツ・Pitfall・Column・Memoをのせ，初学者の理解を助け，陥りやすい誤りを自覚できるようにしています．
　三　できるだけ写真をおりこみ，臨場感があるように工夫しました．

　本書の左ページには手技のながれを載せ，右ページには①手技をするうえで意識することが重要な点を「Point」，②うまく施行するために知っていて欲しいものを「コツ」，③合併症に陥りやすい点や，これまでに手技をしてきたものがハッとした経験がある項目を「Pitfall」として盛り込み，左ページと対応できるようにしました．さらに④手技とは直接関係なくて

も，関連として知っていただきたいことを,「Column」「Memo」としてまとめました．⑤第3版から新たに「現場から」を作成し，執筆者から伝えたいメッセージをこめました．

第3版では,「COVID-19時代のPPEの着脱」という新項目を設けました．QRコードにて動画も掲載しておりますので，原則をしっかり再確認してみてください．その他の項目でも，写真をさしかえたり，説明を追加したりして大幅に掲載内容を増量していますが，いずれも図を多用しながらさらなるわかりやすさをこころがけ，手技にあたるうえでの不安にできるだけこたえる内容にしています．

手技をできるだけ早く・多く経験したい，という研修医・医学生をよくみかけます．手技上達のコツは，"Simulate many"です．本書を十分に読み込み，本書を片手にシミュレーター相手に取り組んでください．そして本番の手技に臨んだ後，うまくいったときも，うまくいかなかったときも，本書を再読してみてください．コツやPitfallの奥深さに驚くと思います．それは，われわれ執筆者が臨床の現場で成功と失敗を繰り返した上でえられた一言を，えらびぬき，磨き上げて，ここに記載しているからです．常に真摯に患者さんと向き合い，手技の上達に精力を傾けてきたものだけがわかる一言を，どうぞ十分にあじわってください．そしてその一言を読者のみなさんがさらに自分の言葉に変え，新たな学習者に伝達いただければ，執筆者一同望外のよろこびであります．

　風ごとにもみじ葉積んで苔の寺

2021年 晩秋の京都にて

編集代表　井上賀元

編集・執筆・執筆協力者 一覧

■編集・執筆

井上　賀元　いのうえよしもと　（京都民医連中央病院）
奥永　　綾　おくなが あや　（いしいケア・クリニック）
小出　正樹　こいで まさき　（彩の国東大宮メディカルセンター）

■執筆

髙木　　暢　たかぎ みつる　（多摩ファミリークリニック）
鶴岡　　歩　つるおか あゆむ　（大阪市立総合医療センター）
中村　琢弥　なかむら たくや　（弓削メディカルクリニック）
乗井　達守　のりい たつや　（ニューメキシコ大学附属病院）
本間　洋輔　ほんま ようすけ　（千葉市立海浜病院）
元春　洋輔　もとはる ようすけ　（福岡和白病院）

■執筆協力

加藤なつ江　かとう なつえ　（太田協立診療所）
髙橋　侑也　たかはし ゆうや　（岩国医療センター）

（五十音順）

目次

心得　2

0 COVID-19時代のPPEの着脱　4
- 動画「PPEの脱ぎ方」 7
  - Memo　COVID-19とPPE　5
  - N95マスクについて　9
  - サージカルマスクについて　9

1 気道確保　12
- 用手的気道確保　14
- エアウェイ　16
  - Memo　エアウェイのサイズの決め方　13

2 人工呼吸　20
- バッグバルブマスク換気　22
  - Memo　有効な人工呼吸ができているかの確認事項　25

3 気管挿管　28
- ビデオ喉頭鏡をもちいた気管挿管手技　40
  - Memo　挿管チューブ, スタイレットの準備　29
  - Sellick法とBURP法　37
  - 挿管後の急変の原因（DOPE）　37
  - McGRATH™ MAC　41
  - エアウェイスコープ（AWS）　43
  - $EtCO_2$モニター　44
  - 気管挿管確認のエコー　45

4 胸骨圧迫　48

5 除細動　54
- 非同期電気ショック（除細動）　54
- 同期下カルディオバージョン　62
- 経皮ペーシング（TCP）　66
  - Memo　メーカーの確認　54
  - 単相性除細動器と二相性除細動器　55
  - フラットに見えた際の確認　57
  - 小児用除細動パドル　61

6 圧迫止血法　72

- **Memo** 用手圧迫法（出血局所の直接圧迫）　72
- 支配動脈圧迫（間接圧迫）　74
- ターニケット　75
- ガーゼをさばく　76
- 鼻出血（間接圧迫＆直接圧迫）　76

7 包帯法　78

- **Memo** 包帯の巻き方　79

8 注射法　82

- ■ 皮内注射　82
- ■ 皮下注射　86
- ■ 筋肉内注射　90
- **Memo** 注射部位の選択（皮内注射）　83
- 注射部位の選択（皮下注射）　87
- 注射部位の選択（筋肉内注射）　91

9 点滴法　94

- **Memo** 点滴速度の調整　94
- 点滴速度低下の原因検索　98

10 末梢静脈確保　100

- **Memo** 前腕・手背の静脈走行と穿刺部位の選択　100
- 禁忌の状況　101
- 貫通した場合は…　101
- 穿刺に失敗したときは…　101

11 中心静脈カテーテル挿入　104

- ■ エコーガイド下リアルタイム穿刺　116
- ■ 穿刺部位別のアプローチ方法（エコーガイド下リアルタイム穿刺）　122
- ■ 穿刺部位別のアプローチ方法（landmark法）　126
- ■ PICC（肘部皮静脈穿刺）　132
- **Memo** カテーテルキットの選択　105
- 挿入する長さ　113

12 採血法 142

- 静脈採血 142
- 動脈採血 148
- 動脈圧ライン（Aライン）挿入手技 158
  - **Memo** 偶発症とその対応 143
    - 動脈穿刺の穿刺部位の選択基準 149
    - シリンジ内の気泡の影響 149
    - "VAN" 151
    - modified Allen test（アレンテスト） 155

13 腰椎穿刺 168

- **Memo** 穿刺部位の選択と体位 169
  - 腰椎穿刺の良い例・悪い例 170
  - 髄液が赤い場合 175
  - キサントクロミー 175

14 骨髄穿刺 176

- **Memo** 穿刺部位の選択 177
  - 骨髄穿刺針 177

15 胸腔穿刺 182

- ドレナージの場合 188
  - **Memo** 合併症として 183
    - Light 基準（滲出性胸水と漏出性胸水の鑑別） 193

16 腹腔穿刺 194

- **Memo** 穿刺部位の選択 195

17 導尿法・尿道カテーテル留置 200

- **Memo** 尿道カテーテルの種類と選択 201

18 ドレーン・チューブの管理 206

- **Memo** 各チューブの長所と短所 209
  - 吸引器の種類 211

19 胃管の挿入と管理 212

- **Memo** 胃管・フィーディングチューブ 213
  - チューブ先端位置の確認＋α 218
  - 胃管留置後の留意事項 221

20 局所麻酔法　222
- 局所浸潤麻酔　224
- 伝達麻酔（神経ブロック）　226
  - **Memo** 局所麻酔薬中毒　227

21 創部消毒・ガーゼ交換　228
- 消毒全般　230
- ガーゼ交換　232
  - **Memo** 言葉の定義（滅菌・消毒）　228
    縫合創のガーゼ交換　233

22 簡単な切開排膿　234
- **Memo** 危険な皮膚軟部組織感染症　237

23 皮膚縫合　240
- 結節縫合　242
- 垂直マットレス縫合　244
- 器械結び　246
  - **Memo** 二次縫合（遅延一次縫合）　241

24 軽度外傷の処置　250
- 擦過傷・切傷・挫創　250
- 打撲・捻挫・（転移のない骨折）　258
  - **Memo** コンサルトすべき損傷　253
    感染予防　255
    創傷被覆材・保護材の例と特性　256
    専門医にコンサルトすべき骨折　261
    "RICE"　261
    足関節骨折評価のX線撮影の適応　262
    膝関節骨折の評価（Ottawa Knee Rule）　263
    頸椎の評価（Canada C-spine Rule）　263

25 脱臼の徒手整復　266
- 顎関節　266
- 肩関節　268
- 肘内障　270

26 軽度熱傷の治療処置　272
- **Memo** 熱傷処置で推奨される軟膏　274

27 感染制御 276
- 予防接種 276
- 手洗い 278
- スタンダードプリコーション（標準予防策） 278
- 血液曝露事故防止 280
- 消毒薬 282
- 破傷風対策 284
  - *Memo* 手指衛生5つのタイミング 279
  - バイオハザードマークの表示 280
  - 破傷風対策のフローチャート 284

付 ALS アルゴリズム 286
- 心停止アルゴリズム（JRC蘇生ガイドライン2020準拠） 286
  - *Memo* 薬剤投与路の優先順位 287
  - 原因検索の4つの「か」 287
  - 原因検索鑑別診断 "6H5T" 287

糸結び（結紮） 288

自己評価表 294

索引 299

- タイベックについて 11
- 気道確保は最重要 12
- 回復体位 15
- 酸素療法について 18
- バッグバルブマスクとジャクソンリース 21
- NPPV（非侵襲的陽圧換気） 26
- 挿管困難の予測 38
- Mallampati 分類と Cormack 分類 38
- 迅速気管挿管（RSI） 39
- 人工呼吸器の設定について 46
- 乳児の蘇生（JRC ガイドライン 2020 に準ずる） 53
- 処置時の鎮静および鎮痛（PSA） 70
- 筋肉内注射で「揉まない」ことについて 93
- エア針 99
- causalgia（カウサルギー） 143
- 真空管採血の注意点 156
- 局所麻酔について 157
- 貼付用局所麻酔剤 157
- 胸腔ドレーンバッグ 191
- 胸水のドレナージの適応 193
- CART 療法（腹水濾過濃縮再静注法） 199
- カテーテルの抜去が困難となった時の対応 205
- スキンステープラーについて 248
- 創のテープ固定（ステリテープ） 249
- 挫傷と挫創について 251
- 切断四肢（指趾）の保存 251
- 湿布について 261
- コンパートメント症候群 264

- ただ揉むだけ？ 27
- Simulate many はシミュレーター？ 27
- 両利きで 125
- 基本が大事 125
- 穿刺は「とりあえず」右大腿からでいいですか？ 153
- 「穿刺がうまい」といわれるには…？ 186
- ドレナージって偉大 210
- 経腸栄養って偉大 215
- OE 法（間歇的口腔食道栄養法） 221
- ナートしていいですか？ 245
- 手技とはアートかサイエンスか？ 267
- 手技は好不調の波がある？ 275

研修医 手技マニュアル

第3版

Technic Manual for Resident

■ 手技への理解をより深めるために・・・

 手技に際して，特に意識すべき重要な点

 手際よく行うために，押さえておきたい勘どころ

 筆者らが経験した"ヒヤリハット"や，陥りやすい誤り

 知っておきたい，その手技に関連する事項

 本文の補足として，覚えておきたい知識

 筆者らが伝えたい思いを込めたメッセージなど

■ *Do no harm !!*

手技は大小を問わず患者に侵襲を伴うものであることを常に意識しましょう.

初期研修医は習得の過程にあるからといって不十分な行為を行うことは許されません.

手技は単なる実技ではなく十分な医学知識の裏づけが必要です.

■ 心を落ち着けられる準備を

術者が感染対策を行うことで，手技に集中できるだけでなく，自身や職員，家族，今後対応する患者など多くの人々を守ることになります.

患者から感染しない対策，感染症に曝露してしまった場合の対応のために，術者の抗体価測定や予防接種など既知の感染症への対策をしましょう.

PPEの着脱や感染性廃棄物の分別など感染制御の仕組みを知りましょう.

万が一，針刺し事故などが生じてしまった場合に，手技を離れ行うべき応急処置，提出すべき検体，事故報告書などのシステムを知りましょう.

■ 百聞は一見にしかず, *Simulate many !*

上級医が手技を行っているときは何度でも見学しましょう（その手技の習得前だけでなく，実施後もまだまだ学ぶことがあるものです）.

他の研修医が手技の指導を受けているのを見学するのも，とてもよい学習になります.

手技の前にシミュレーションを十分に行いましょう.

■ 己を知り，計画を入念に

当直明けなどは自覚以上に疲労しているものです. 緊急を要しない手技はその手技を行う集中力があるの

か，もう一度考えてから実施計画を立てましょう．

手技の後に，手術に入る予定や，面談の予定があるなどの焦りがあるときも，意外に集中力を欠くものです．緊急性のない手技は施行する時間を計画的に設定しましょう．

■ 交代は敗北ではない

指導下においてもシミュレーション通りに進まないときは早めに術者を代わってもらうべきです．

■ フィードバックと復習を

手技が上手くいっても，途中で上級医に交代してもらっても，指導者にフィードバックをもらいましょう．

手技の終了後は，もう一度本書を読み返して，実施した手技を振り返り，「Point」の整理，「コツ」や「Pitfall」の確認を行いましょう．

■ 合併症を知れ

その手技によってどんな合併症が生じうるのか十分に把握しておくことが，合併症の早期発見につながります．また，万一合併症が生じたとき，どのような対応が必要か十分に知っておきましょう．

■ 体で覚えろ

緊急の手技（BLS, ACLS に伴うもの）は医療現場に出る際にはすぐに対応できるように，OSCE（オスキー）などでしっかり身につけておきましょう．

それでも，実際の現場ではシミュレーション通りではありません．最初はチームの一員に加わることから始め，徐々に自分のできる手技，チームの次の動きの流れを身につけていきましょう．

■ 最後は *Teach one*

「後輩の指導者となれるか」と自問自答してみましょう（新たな疑問点が発見できませんか？）．

"See one, do one, teach one"

0 COVID-19時代のPPEの着脱

Donning and doffing of PPE

(☞ p.276「感染制御」も参照)

PPE (personal protective equipment：個人用防護具) は, 装着する時よりも, 感染を広げないために脱衣するときが重要である.

● PPEの例
- キャップ
- ゴーグル, フェイスシールド（眼鏡の上から装着できるものもある）
- マスク（サージカルマスク, N95マスク）
- 手袋（一重・二重）
- ガウン

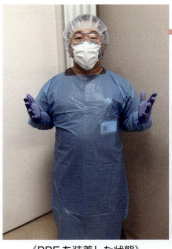

《PPEを装着した状態》

《一重目の手袋とサムホールをしたガウンを装着した状態》

Memo　COVID-19とPPE

SARS-CoV-2の感染経路は，基本的には接触感染と飛沫感染である．ただし，エアロゾル・微小飛沫の発生する状況*では，空気感染対策が必要になる．

（*手技としては，気道吸引，気管挿管・抜管，NPPV装着，気管切開，心肺蘇生，用手換気，気管支鏡検査，上部消化管内視鏡検査，ネブライザー療法，誘発採痰など）

よって，①口，鼻，眼の粘膜への飛沫の付着を避ける，②ウイルスが付着した手指による粘膜への接触を避ける，③微小飛沫・エアロゾルの吸入を避けることを目的に個人用防護具（PPE）を使用する．

COVID-19では，発症前に感染性のピークがあることにも留意し，標準予防策を徹底する．具体的なPPEとしては上記*のような手技に該当するかなどを考慮して，以下を検討．

・手袋（一重，二重）
・ゴーグルまたはフェイルシールド（眼の防護具）
・マスク（サージカルマスク，N95マスク）
・長袖ガウン
・キャップ

なお，医療行為を行う空間の換気や，PPEの適切な着脱（特に脱衣時のウイルスへの曝露を避ける）と破棄などが前提となっていることは言うまでもない．

- N95マスクが不足しており，施設によって使用方法を工夫しているため，施設の方針を確認する．

- 装着後，鏡をみてPPEが適切に装着できているか確認する．

- サムホール（親指をいれる穴）がないガウンの場合は，ガウンの袖に穴をあけて，サムホールをつくる．一重目の手袋をした上で，サムホールに母指をいれ，二重目の手袋をすると，手首が露出しなくなる．

▼ PPEの脱衣の方法

※施設によって若干異なる場合があるので，施設の方法を確認する．
※以下は二重手袋，N95マスクの外側にサージカルマスクを装着していることを前提として記載する．

1. 二重目の手袋を外す．
   捨てたら一度手指衛生を行う．

2. ガウンを外す．

3. ガウンの袖を一重目の手袋ごと外す．

「PPEの脱ぎ方」動画
このQRコードよりアクセスしてご覧下さい
https://www.ishiyaku.co.jp/r/732040/

- PPEの1つのアイテムを捨てる度に，手指衛生を行う．

- 外側が表にでないように，二重目の手袋の外側をもち，内側が表になるように外し，一重目の手袋で二重目の手袋を触れないように，もう片方を外すときは，手袋の内側に指を差込み，外す．

- 表面を掴み，ガウンを引っ張って，首紐をゆっくりちぎる．

- 手がユニフォームに触れないように，内側が表になるようガウンと一重目の手袋をまとめて脱ぐ．

- 手がユニフォームに触れないように，もう片方の袖も，ガウンの内側をもって，内側が表になるようガウンと手袋をまとめて脱ぐ．

4 ガウンを丸めて，腰紐を引きちぎる．引きちぎったガウンは，そのまま感染ゴミ箱に捨てる．捨てたら一度，手指衛生を行う．

5 キャップを外す．
後ろ側からキャップを外す．
外したら手指衛生を行う．

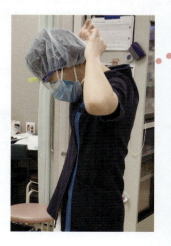

Memo N95マスクについて

　米国労働安全衛生研究所（NIOSH：National Institute for Occupational Safety and Health）のN95規格を満たし，認可されたマスク．欧米では，マスクというより「呼吸器防護具」としてレスピレーターと呼ばれる．その規格は0.3μmの粒子を95％以上捕集できなければ認められない厳しいもので，結核菌，麻疹，水痘ウイルスのような直径5μm以下で空気感染が懸念される感染症について有効とされる．

　粒子状の物質の吸入防止のために用いられ，使用にあたっては正しい装着をする必要があり，息の漏れがないかを確認するシールチェックは，着用の度に行う．

- 手袋が落ちないように，ガウンの外側が表にでないように小さくまるめる．

- キャップの外側が，髪の毛や顔に触れないように注意する．

Memo サージカルマスクについて

　医療従事者や患者を感染から守るために，微粒子やウイルスなどの放出や侵入を防ぎ，血液や体液の飛散からも保護する目的で使用されるマスク．素材は不織布で，家庭用と比べて非常にフィルターの目が細かいのが特徴．

　細菌やウイルスはそれよりも小さく，マスクを通過してしまうリスクがあるが，実際に飛散される際には粒子の周りに水分を含んだ飛沫となっているため，サージカルマスクによって感染のリスクを軽減することが可能．

6 ゴーグルを外す．
フレームタイプの場合は，フレームの後ろの方を，ゴムタイプの場合は，後頭部のゴムの部分をもって外す．

7 N95マスクを外す．
マスクの前面を触れないように，後頭部のゴム紐をもって外す．
外したら手指衛生を行う．

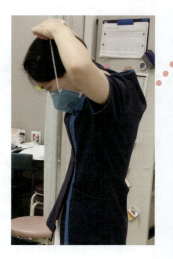

- ゴーグルの外側が，髪の毛や顔に触れないように注意する．

- マスクやゴム紐の前面が，髪の毛や顔に触れないように注意する．

COLUMN

タイベックについて

プレホスピタルの医療，認知症の高齢者や精神疾患などで協力を得ることが困難な患者の対応などでは，思わぬ方向から飛沫を浴びる可能性が高くタイベックの着用を検討する場合もある．しかし，装着に手間がかかり数も限られているため，全例に使用するのは現実的ではない．タイベックを使用する適応については，各施設の方針に従う．

(旭・デュポン フラッシュスパン プロダクツ株式会社Webページより)

1 気道確保

Airway maneuvers

● 適応
- 酸素化,換気が必要な場合…呼吸不全,意識障害による舌根沈下など.

● 準備物
- ☐ 吸引セット
- ☐ 経口または経鼻エアウェイ
- ☐ 安全ピン
- ☐ 潤滑剤(キシロカインゼリー®など)

《経口(上),経鼻(下)エアウェイ》

● 合併症
- 経口エアウェイの合併症:嘔吐
- 経鼻エアウェイの合併症:頭蓋底への嵌入,鼻出血
- 頭部後屈あご先挙上の合併症:頸椎損傷の増悪

禁 忌
- 経口エアウェイの禁忌:咽頭反射の残っている場合.
  (※意識がしっかりしている場合は使いにくい.)
- 経鼻エアウェイの禁忌:頭蓋底骨折が疑われる場合.
- 頭部後屈あご先挙上の禁忌:頸椎損傷が疑われる場合.

COLUMN　気道確保は最重要

　気道の確保は救命処置のABCD(**A**irway:気道,**B**reathing:呼吸,**C**irculation:循環,**D**efibrillation:除細動)の**A**で,最も重要である.

　自発呼吸があっても,舌根沈下,いびき様呼吸,咽頭反射の消失(唾液でうがいをしているような状態)があり,すぐに気管挿管しない場合は,禁忌がなければ,(まず用手的気道確保をして)エアウェイ(経口または経鼻)を使用する.

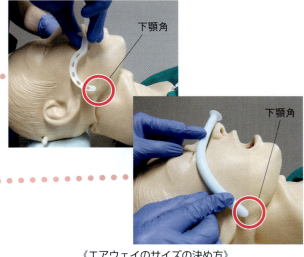

《エアウェイのサイズの決め方》

> **Memo　エアウェイのサイズの決め方**
> - 経口：横から見て患者の口から下顎角までの長さのサイズ．
> - 経鼻：横から見て患者の鼻尖部から下顎角までの長さのサイズ．6〜7 mmの太さが基本（気管チューブより1まわり細め，もしくは患者の小指の太さ）．長さについては固定位置で調整し得る．

> **Memo**
> - 挿管適応に関して迷うような症例，気道の維持に不安がある場合などにも使いやすい．
> - ただし，確実な気道確保ではないことに注意．
> ※確実な気道確保＝気管挿管，外科的気道確保（輪状甲状靱帯切開など）

▼ 手順

用手的気道確保

■頭部後屈あご先(頤)挙上法

1. 片方の手で患者の前額部を押さえ，頭部後屈する．

2. もう片方の手であご先(頤)を挙上する．

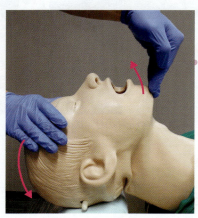

■下顎挙上法

- 患者の両側の下顎角に手を当て，下顎骨を引き上げる．

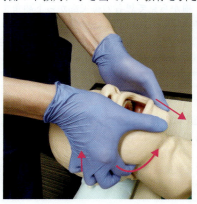

- あご先,下顎を上げる場合は骨を持つように意識する.軟部組織を持ちすぎると窒息の危険あり.

- 頸椎損傷を疑う場合は,頸椎損傷を増悪させる可能性があるため下顎挙上法を用いる.

- イメージは「アイーン」のポーズ.

回復体位

　回復体位は,救急医療などの現場で失神している・または「意識がもうろうとしている」など意識障害の要救護者が,嘔吐や気道閉塞などの急な様態の変化が起こっても大事に至らないよう配慮された姿勢である.

　普通の側臥位と異なる点として,頭をやや後ろに反らせて,できるだけ気道を広げた状態に保つ.仰臥位や腹臥位で気道が閉塞してしまわないよう,膝は軽く屈曲させ,腕は下側の腕は体前方に投げ出し,上側の腕でつっかえ棒をする要領で横向け寝状態を支えるようにする.

　適用される状態は,一般的な意識障害の状態のほか突発的な嘔吐のあり得る泥酔患者など幅広い.院外などで医療資源がない場合などで特に有効である.

エアウェイ

- 用手的気道確保のみでは十分でない場合に使用する．

■ 経口エアウェイ

- 外側にゼリーを塗り，口腔内に挿入し，半分ほど挿入した時点で口腔内で180°回転させ，先端が足側に向くようにする．先端を舌根部まで進める．

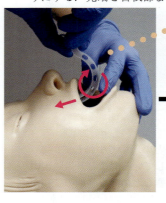
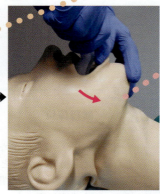

■ 経鼻エアウェイ

- 外側にゼリーを塗ったエアウェイを，体に対し垂直にやさしく挿入する．

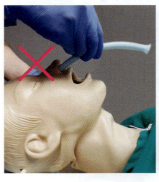
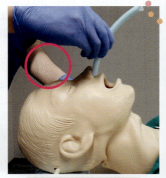

- 安全ピンを用いて長さの調節，固定を行う．

- 先端を頭側に向けた状態でまず口腔内に挿入する.
- 舌を持ち上げるように回転させる.

- 回転させずに挿入すると,舌を押し込んでしまい逆に気道がせまくなることがある.

- 下顎挙上し,舌がエアウェイの上に乗るようにする.

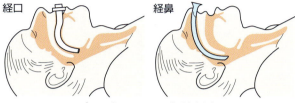

経口　　　経鼻

《エアウェイによる気道確保》

- 右の鼻孔が基本となる.
- 先端の尖った部分が,鼻中隔に接触し鼻出血するのを避ける(左の鼻孔から挿入する場合は,エアウェイを右鼻孔からの挿入の場合と逆向き(180°回転させた状態)から挿入を開始し,半分程度挿入できたら180°回転させる).

- 患者の意識がない状態ならば指にゼリーをつけ鼻腔に入れ,閉塞がないか確認しつつ挿入路を確保する.
- 抵抗がある場合は少し引き,少し方向を変えて挿入する.それでも困難な場合は対側の鼻腔を試す.それでも困難であれば他のアプローチを考慮する.

- 安全ピンでの固定はチューブの端寄りで行わないと逆にエアウェイや,吸引時の妨げとなる.

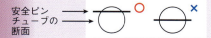

安全ピン
チューブの断面

酸素療法について

■鼻カニュラ

鼻腔から酸素を投与する．酸素投与しながらも会話や食事が可能．

高流量となると鼻腔粘膜への刺激となり，かつ吸入酸素濃度の上昇が見込めないため勧められない（6L/分まで）．また口呼吸の場合も効果は低い．

鼻カニュラの酸素流量と吸入酸素濃度の目安

酸素流量（L/分）	吸入酸素濃度の目安（%）
1	24
2	28
3	32
4	36
5	40
6	44

■簡易酸素マスク

鼻腔と口腔から酸素を投与する．

鼻カニュラよりも高流量の酸素投与が可能．口と鼻を覆うため口呼吸でも有用．マスク内に貯まった呼気を再吸入しないよう，流量は5L/分以上に設定する．5L/分未満で使用する場合は$PaCO_2$貯留に注意．

簡易酸素マスクの酸素流量と吸入酸素濃度の目安

酸素流量（L/分）	吸入酸素濃度の目安（%）
5〜6	40
6〜7	50
7〜8	60

■リザーバー付き酸素マスク

マスクに酸素をためるリザーバーバッグが付属しているもの．より高流量の酸素投与が可能．呼気の二酸化炭素の蓄積を防ぐために，マスクに一方向弁がついている．リザーバーバッグに酸素を貯めるために酸素流量は6L/分以上にする．

リザーバー付き酸素マスクの酸素流量と吸入酸素濃度の目安

酸素流量（L/分）	吸入酸素濃度の目安（%）
6	60
7	70
8	80
9	90
10	90〜

■ ベンチュリーマスク

患者の一回換気量に左右されず,一定の濃度で酸素吸入ができる.COPDなどⅡ型呼吸不全で酸素濃度の調整が必要な場合に有用.ダイリュータ(アダプタ部)の色で設定酸素濃度および至適酸素流量が決まっている(会社によって色と流量が異なることがあるので確認すること).ダイリュータを塞がないよう注意.

■ HFNC(high flow nasal cannula）

高流量(30〜60L/分)で酸素投与が可能な鼻カニュラ.乾燥を防ぐために加湿されている.

【メリットとして】
- 鼻咽頭の解剖学的死腔内にたまった呼気を洗い流し,死腔換気率を減少させ,酸素化を改善する.
- 高流量の酸素投与および死腔の洗い流しにより,酸素濃度が安定.
- 軽度のPEEP様効果
- 経鼻で投与できるため,食事摂取や会話が可能となり,QOLの向上が見込める.

HFNC(high flow nasal cannula)
(株式会社フィリップス・ジャパンWebページより)

「酸素流量」と「酸素濃度(FiO_2)」の2つのパラメーターを操作して設定する.酸素流量を上げることで,軽度のPEEP様効果が増強する.最初は30L程度から開始し,患者の呼吸努力や頻呼吸の改善をみながら適宜増量していく.FiO_2は21%から100%まで設定可能なので,患者の酸素濃度をみながら調整する.

2 人工呼吸

Mechanical ventilation

目的
- 呼吸停止,または呼吸が弱い患者に対し酸素化を維持し,換気を確保する.

合併症
- 気胸,縦隔気腫
- 医原性過換気
- 嘔吐・誤嚥
- fighting(患者の自発呼吸と人工呼吸が同時に行われてしまい,患者の自発呼吸が制限される)

準備物
- ☐ 酸素 ☐ 患者のサイズに合ったフェイスマスク
- ☐ HEPAフィルター
  (High-efficiency particulate absorbing filter;人工鼻)
- ☐ $EtCO_2$ モニター(☞p.44を参照)
- ☐ バッグバルブマスク(左)またはジャクソンリース(右)

呼吸の確認
- 気道を確保し,体を患者に近づけて呼吸の確認をする.

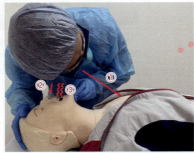

COLUMN: バッグバルブマスクとジャクソンリース

■ バッグバルブマスク

マスク，一方向弁がついたバルブと自動再膨張するバッグからなる．

利点
- 一方向弁がついているため呼気を再吸入させることなく換気することができる．
- バッグが自動再膨張するため，酸素供給がない環境でも人工呼吸することができる．
- リザーバーを装着し酸素投与すれば高濃度酸素による人工呼吸も可能．

欠点
- バッグが自動再膨張するため，患者の自発呼吸がわかりにくい．
- 1回換気量や気道抵抗がわかりにくい．

■ ジャクソンリース

Tピースと自動膨張しないバッグからなる．

利点
- 高濃度酸素による人工呼吸が可能．
- 患者の1回換気量や気道抵抗がわかりやすいので，自発呼吸に合わせた換気，PEEPをかけた換気が可能．

欠点
- バッグが自動膨張しないので酸素供給できる環境でないと使用できない．
- 酸素流量が少ないと再呼吸により二酸化炭素が蓄積する．〔⇨分時換気量の2倍以上の酸素流量（10〜15L/分）にすべき〕

- 患者を仰臥位にし，用手的気道確保をする．
- ①見て（胸郭の動き），②聞いて（呼吸音），③感じて（気流），5秒以上10秒未満確認．

- あご先を挙上する際に骨でなく軟部組織を強く押しながら行うと逆に気道を閉塞してしまう．

Memo
- JRCガイドライン2020では，正常な呼吸でなければ（死戦期呼吸であれば）呼吸なしと同様に扱うとされている．

▼ 手順

バッグバルブマスク換気

■一人バッグバルブマスク法（EC法）

1. 左手3指，4指，5指にて下顎挙上を行う．
   5指を下顎角に当て，下顎を前方に押し出すようにし，3指，4指でその動きを支える（**E**…下図の①）．
2. 1指，2指にてマスク体部を患者に押し当てる（**C**…下図の②）．
3. 右手でバッグ体部を持ち，酸素バッグが膨らんでいることを確認して換気する．

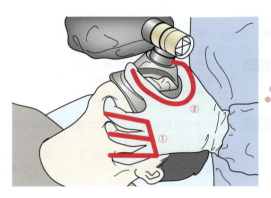

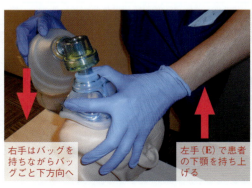

右手はバッグを持ちながらバッグごと下方向へ

左手（**E**）で患者の下顎を持ち上げる

- 1回の吹き込みに1秒かけ，胸郭が上がる程度の量を吹き込む．（☞p.25を参照）

- 頸髄損傷を疑う場合を除き，sniffing positionにする．（☞p.30を参照）

- 左側は左手で押し当てるので密着しやすいが，右側は密着しにくい．右手はバッグを持ちながらバッグごと下方向へ押し当てるとよい．

- 左手の第3, 4, 5指で患者の頸部組織を圧迫してしまうと気道圧迫になるので注意．軟部組織ではなく，下顎骨に指をかけるイメージ．

- 脇をしめると力が入りやすい

- マスクは最初に鼻梁に当て，その後，鼻，口を覆うようにかぶせると密着を得られやすい．十分な密着が得られない場合は適宜位置を移動してみる．

- マスクがきれいに密着しない場合がある（高齢者など）．その場合，口角にガーゼなど挟み込むとよい（ガーゼが口腔内に落ち込まないよう注意）．ヘッドストラップも利用可能である．

- 異物，痰，血液などの気道閉塞の要因となるものがあれば，まずその解除に努める．

- 気道が開通しない場合は，（頸髄損傷が疑われなければ）患者が右側を向くように頭位変換する，経鼻または経口エアウェイを用いるなどして気道開通に努める．

■二人バッグバルブマスク法

1. 一人がマスク保持をする.
両手でEC法を行う.または母指球でマスクを圧迫し2〜5指で下顎挙上を行う(母指球法).

2. もう一人が人工換気を行う.

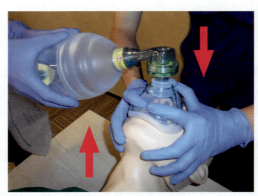

《二人法(EC法)》

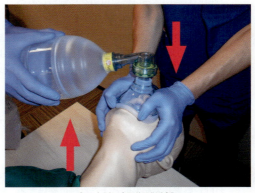

《二人法(母指球法)》

換気について
- **換気量**：胸郭が上がる程度
  （約6〜7mL/kg，300〜400mL）．
- **換気時間**：1回換気することに1秒．
- **呼吸回数**：自発呼吸がない場合は，基本的には6秒に1回（病態により異なる）．自発呼吸がある場合は自発呼吸に合わせる．吸気抵抗が高いため患者は吸気しにくい状態であることに注意．自発呼吸が十分にある場合は吸気抵抗の低いジャクソンリースに代えてもよい．

- 換気量が多くなったり，換気が長期間になったりすると，胃内にも空気が入り，嘔吐を誘発し得ることに注意．

Memo　有効な人工呼吸ができているかの確認事項

- バッグの抵抗がない．
- 胸郭の上がり（左右対称に十分に挙上するか）．
- 聴診で両側とも呼吸音が聴取できる．
- SpO_2 の低下がない．
- $EtCO_2$ モニターで波形が確認できる．

NPPV(非侵襲的陽圧換気)
(Noninvasive Positive-Pressure Ventilation)

■ 適応

人工呼吸器の適応のうち,気管挿管の適応でないものが一般的な適応となる(下表).

人工呼吸器の適応 (例:COPD 増悪)	気管挿管の適応 (例:上気道閉塞)

高いレベルのエビデンスで死亡率を下げたり, 気管挿管を避けたりすという効果が示されている
心原性肺水腫 COPD 急性増悪
エビデンスはあまり高くない
上記以外の呼吸不全 細菌性肺炎 ウイルス性肺炎(COVID-19 含む) 免疫不全患者の急性呼吸不全

■ 禁忌

無呼吸,意識障害,不穏,血行動態不安定,喀痰が多い,嘔吐/誤嚥,マスクフィット不可,顔面の外傷/熱傷/手術,最近の上部消化管手術(下部消化管は可能).

【標準的な初期設定の例】

① 心原性肺水腫

```
モード CPAP
CPAP:5 cmH₂O
FiO₂:1.0
```

② COPD 急性増悪

```
モード Bi-level PAP
EPAP:5 cmH₂O
IPAP:EPAP+5 cmH₂O
FiO₂:0.5 〜 0.8
```

ただ揉むだけ？

　人工呼吸器管理中に一定のPPEPを要する患者は少なくない．こういった患者のCT検査などで換気を任された時に，ただマスクを揉むだけでは検査中にSpO₂はみるみる低下し，呼吸がもたなくなってしまう．PEEPがかからなくなるからである．

　PEEPをかけるためには，マスクでエアを押し込んだ手を最後までは開かない，つまりバッグに常に一定レベルの圧を残し続ける（手に圧を感じ続ける）必要がある．この圧を感じやすい点ではバックバルブマスクよりもジャクソンリースがはるかに長けている．両者の使いわけもマスターされたい（☞p.21 COLUMNを参照）．

Simulate many はシミュレーター？

　シミュレーターをどれだけ使っていますか？　今は優れたシミュレーターが数多く揃っており，手技上達には素晴らしい環境が揃っているように思える．ただシミュレーターはあくまで人工物であり人体ではない．血管を貫いた感触や硬膜を破る感触など似ても似つかぬものである．だから，実際の症例を数多く積み重ねることが何よりも重要なのは言うまでもない．初学者がシミュレーターを用いる最大のメリットは手順の徹底にある．患者さんを前にして手順がわからずオロオロするというのは言語道断である．手順をシミュレーターで身につけたら，あとは実際の症例に際してあらゆることを想定するsimulateが必要となる．

3 気管挿管

Endotracheal intubation

● 適応
- 酸素化,換気の確保が必要な場合……呼吸不全,循環不全
- 気道の維持,保護が必要な場合……上気道閉塞(止めどない血液の垂れ込み,解剖の崩れ,炎症,腫脹),気道熱傷,意識障害など
- 陽圧換気が必要な場合……フレイルチェストなど
- 気道の洗浄(吸引)が必要な場合……重症肺炎,誤嚥
- 上記病態に発展する可能性のある場合

● 合併症
- **損傷**:歯牙,口唇,舌,咽頭,喉頭,気管,食道
- 気管支痙攣(喘息発作),喉頭痙攣,声門狭窄
- **気道刺激による循環動態,頭蓋内圧の変化**:不整脈,脳圧亢進
- **挿管位置異常**:食道挿管,片肺挿管
- **機器の異常**:チューブ閉塞(低酸素血症)
- 緊張性気胸
- 嘔吐,誤嚥
- 食道気管支瘻
- 人工呼吸器関連肺炎

● 準備物
① 吸引セット　② 枕　③ 経鼻または経口エアウェイ
④ バッグバルブマスクまたはジャクソンリース
⑤ 挿管チューブ(男性ID 8.0 mm,女性ID 7.5 mmが標準)
⑥ スタイレット
⑦ 潤滑剤:ゼリー(キシロカインゼリー®など),スプレー(キシロカインスプレー®など)
⑧ 喉頭鏡(ビデオ喉頭鏡または直視喉頭鏡)
⑨ 固定テープorトーマスチューブホルダー®等の固定具

⑩ バイトブロック
⑪ カフ用10ccシリンジ
⑫ 聴診器
⑬ EtCO₂モニター
⑭ マギール鉗子（異物除去用）
⑮ 薬剤（鎮静薬，鎮痛薬，筋弛緩薬，拮抗薬）
⑯ 無呼吸酸素化のための鼻カニュラか，ネーザルハイフロー
⑰ バックアップ用の気道器具〈例：LMA（ラリンジアルマスク）〉

> **Memo　挿管チューブ，スタイレットの準備**
>
> ● 気管内は清潔である．操作は清潔に！
>
>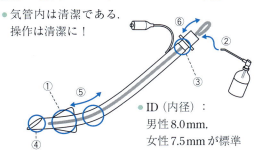
>
> ● ID（内径）：男性8.0mm，女性7.5mmが標準
>
> ① 事前にカフに空気を入れ，カフ，パイロットバルーンに破損がないかを確認する．カフの空気を十分に抜いた後，外側にゼリーを塗る（直接触らず，ゼリーをたらし，袋越しにゼリーを塗り広げる）．
> ② 内側にはスタイレットがスムースに出し入れできるようスプレーを噴霧する．
> ③ 開封時はコネクタの接続が緩いので，しっかりと締める．
> ④ スタイレットを挿入する．先端は出さずチューブより1～2cm短くなるように長さ調節する．
> ⑤ スタイレットを曲げる．ホッケースティックの形が挿入しやすい．
> ⑥ スタイレットが容易に抜けることを確認する．

▼ 手順

1 酸素化
- 操作開始前に十分に酸素化を行い，必要なら人工呼吸による換気を行う．
- この間に前述した挿管の道具の準備を終了しておく．

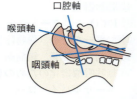

自然な仰臥のとき

2 鎮静・鎮痛
- 必要に応じて十分な鎮静・鎮痛・筋弛緩を行う（☞p.39 COLUMN「迅速気管挿管 RSI」，p.70〜71 COLUMN「処置時の鎮静および鎮痛」を参照）．

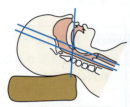

枕を入れたとき

3 体位
- 頸髄損傷が疑われる場合を除き，sniffing position にする．

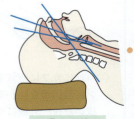

sniffing position

4 開口
- 両手で十分に開口した後，右手の母指と示指をクロスさせ，示指で右上顎臼歯を頭側に押し，母指を下顎歯列にかけ下顎を押し上げるようにする．

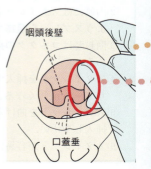

- full stomach では用手換気は禁忌.

- 引き続き十分な酸素化に努める.
- 投薬による血圧の低下, 挿管操作による血圧の上昇をはじめ, バイタルには常に注意をはらう.

Sniffing position
- 口腔軸, 咽頭軸, 喉頭軸の3本の軸が一直線に近くなる体位が理想的. 枕, タオルなどで調節する.

- 「肩まくら」ではないことに注意.

- 頸髄損傷が疑われる場合（外傷など）は下顎挙上法にて行う.

- 開口時に義歯があれば外し, 同時にぐらつく歯（動揺歯）がないか再確認する.

吸引
- 開口時まずは十分な吸引を行う. 口腔内に異物がある場合はマギール鉗子などで除去する.

- 「カクン」と顎が外れるような感触があればOK.

5 喉頭展開

喉頭鏡を用いて喉頭展開を行う．

- 喉頭鏡を右側から口腔内に挿入する．

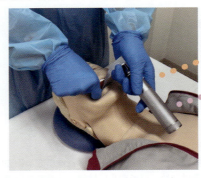

- ブレードを前方に押しつつ正中に移動させる．

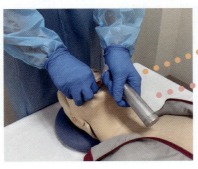

- ブレード先端がまっすぐ喉頭蓋谷に入るよう進める．

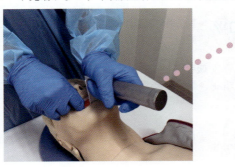

- クロスフィンガー法にて十分開口させた状態を保持する.

- 喉頭鏡はやや右から左方向へ挿入すると舌がよけやすい.

- ブレード挿入時は上口唇と舌を巻き込まないように注意する.

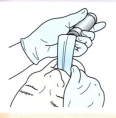
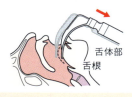

舌体部
舌根

- 舌に沿わせるように舌根部まで進め,舌を左によけるように移動させる.

- 喉頭蓋が視野に確認できる.

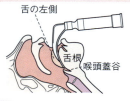

舌の左側
舌根
喉頭蓋谷

喉頭蓋

- 手首を〝こねない〟よう注意! 視野がうまく確保できないだけでなく歯牙損傷の原因になる.

- 正しく進められれば,喉頭蓋が「ペロン」と一段階めくれ上がるようになる.

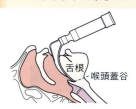

舌根
喉頭蓋谷

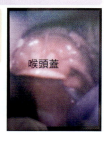

喉頭蓋

- 腕で喉頭鏡を押し上げる．
  視野に声門が見えれば，その位置で左手を固定する．

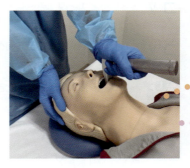

6 挿管

- 挿管チューブを直視下で挿入する．声門を越えた所で助手の人にスタイレットを抜いてもらい，さらに進める．右手でチューブを固定したまま助手の人にカフを膨らませてもらい，確認，固定に移る．

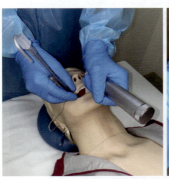
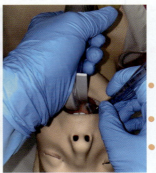

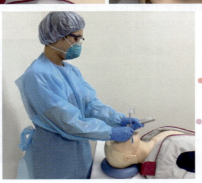

- 右手はクロスフィンガー法を外し頭部後屈を補助する.

声門が同定できない原因
- 体位が十分にとれていない
- 舌をよけられていない
- ブレードが浅いあるいは深い

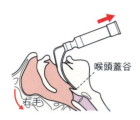
喉頭蓋谷
右手

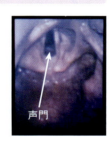
声門

- 声門が同定できたら絶対視野ははずさない. チューブをもらうときも目を離さない.

- 介助者に患者の右口角を横に引いてもらうと視野が広がる.

- 声門を過ぎて2, 3cmのところ, 門歯までで19〜23cmまで挿入する(声門マーカーを利用).

- 挿管手技中は補助換気がなくなり, 自発呼吸のない場合は無酸素状態になる. 自分も息を止めて施行し, 苦しくなったら患者も苦しいので酸素化に戻るようにする.

気管挿管時の姿勢について
- 顔を近づけて覗き込まない. そうしないと見えない場合は患者のポジションが悪い場合が多い.

7 固定

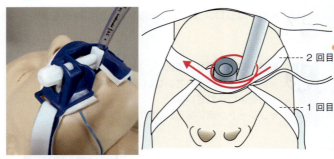

《トーマスチューブホルダーでの固定（左），テープでの固定（右）》

● 術後検査（挿管後確認）
- 視診：胸郭の挙上の確認
- 聴診：5点聴診（胃から）（下図参照）
- fogging（チューブ内面の曇りの上下）
- リザーバーが膨らんでいるか
- 酸素はつながっているか
- 二次確認：食道挿管検知器，呼気終末CO_2検出器（EtCO₂モニター），胸部X線，エコー

  ※二次確認で確実に確認できるものはない．総合的に判断する．

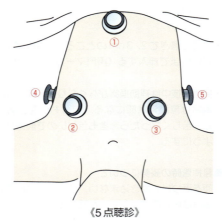

《5点聴診》

- 固定テープは皮膚とチューブの間に隙間ができないように貼る.
- チューブのみを固定した後,チューブとバイトブロックをまとめて固定する.
- テープは顔面の固いところ,すなわち頬骨,下顎に貼るようにする.
- 施設によってはテープではなく専用の固定道具を利用している所もある(左図).

固定したい長さ(目盛り)が,口角の位置に浮かない状態にあり,その目盛り部分にテープをしっかり巻きつけないと,目的とする固定にならない.

助手の主な役割:術者の視野確保補助及び合併症予防
- 患者の右口角を引っ張り視野を広げる.
- sellick法あるいはBURP法(下記)を行う
- 挿管チューブは術者の視野を妨げないように渡す.
- 術者の指示に合わせ,スタイレットを抜き,カフに空気を入れる.
- 歯がある場合,チューブを噛まれないようブレードを抜く前にバイトブロックを入れる.

Memo　Sellick法とBURP法

- Sellick法:挿管手技中輪状軟骨を圧迫する.唯一全周性に存在する輪状軟骨を圧迫することで食道を圧排し嘔吐,誤嚥を防ぐ.フルストマックの場合等に用いる.
- BURP法:backward, upward, rightward, pressureの略である.喉頭展開時に甲状軟骨を後方,上方,右方に圧する.喉頭視野がとりやすくなる.挿管困難例で用いる.

Memo　挿管後の急変の原因(DOPE)

- **D**isplacement(チューブの位置異常)
- **O**bstruction(チューブの閉塞)
- **P**neumothorax(気胸)
- **E**quipment failure(機器の不具合)

挿管困難の予測

- 挿管困難の予測の評価方法を紹介しておく．

<LEMON法>

L = Look externally [**外表面の観察**] 上顎前歯の突出，短い首，肥満，髭，義歯，顔面の外傷など

E = Evaluate 3-3-2 rule [**3-3-2の法則による評価**] 開口3横指，頤-舌骨3横指，口腔底-甲状軟骨が2横指あるかを評価

M = Mallampati分類 [**マランパチ分類による評価**]

O = Obstruction [**閉塞の評価**] 炎症，外傷，腫瘍などによる上気道閉塞の有無

N = Neck mobility [**頸部の評価**] 外傷や頸椎疾患による可動制限の有無

Mallampati分類とCormack分類

■ Mallampati分類

喉頭展開前に，開口した状態での口蓋垂の見え具合で挿管困難を事前に予測するための分類法．

Class Ⅰ：よく見える（軟口蓋，口峡，口蓋垂など）
Class Ⅱ：口蓋垂の先端が隠れる
Class Ⅲ：軟口蓋と口蓋垂の基部しか見えない
Class Ⅳ：軟口蓋が見えず，硬口蓋しか見えない

※ Class Ⅲ，Ⅳでは挿管困難が多いとされる．

■ Cormack分類

実際に喉頭展開した際に，喉頭蓋と声門の見え方から挿管困難を予測するための分類法．

Grade Ⅰ：完全に声門が目視可能
Grade Ⅱ：声門の前方のみ目視不能
Grade Ⅲ：喉頭蓋は目視できるが声門は見えない
Grade Ⅳ：喉頭蓋が目視できない

※ Grade Ⅲ・Ⅴがいわゆる挿管困難で，ファイバーやエアウェイスコープなどを用いないと挿管は難しい．

迅速気管挿管
(RSI：Rapid sequence intubation)

鎮静薬 ＋ 筋弛緩薬（同時に投与）➡ **速やかに気管挿管**

■ 鎮静薬と筋弛緩薬を同時に投与し，陽圧換気をせずに速やかに気管挿管を行う方法．筋弛緩薬を投与すること，陽圧換気をしないことにより，嘔吐／誤嚥を防ぐ．ただし，バッグバルブマスクによる陽圧換気を行っても，誤嚥のリスクは変わらず，酸素化は改善するというランダム化研究あり（*N Engl J Med.* 2019. **380**(9): 811-821. PMID: 30779528，PMCID: PMC6423976.）

■ **禁忌**：挿管困難が疑われる場合（心肺停止患者における気管挿管時は，鎮静薬／筋弛緩薬の使用は不要）
  ※禁忌でない場合でも，RSIは危険性が高い．必ず上級医の立会いの下で行う．

■ プランニングと準備が最も重要．特に，挿管が難しかった場合のバックアップ（例：ラリンジアルマスクやビデオ喉頭鏡，拮抗薬）の事前準備は必須．

■ **鎮静薬**（RSIに使用時の投与量，☞ p.71記載の処置時の鎮静および鎮痛時とは違うことに注意）

一般名	投与量	効果発現時間	メリット	注意点
ミダゾラム	0.2mg/kg	1分	健忘作用	血圧低下，**禁忌**：狭隅角緑内障
プロポフォール	1～2mg/kg	30秒～1分	気管支拡張	血圧低下，血管痛，**禁忌**：卵／大豆アレルギー
ケタミン	1～2mg/kg	1～2分	血圧上昇，気管支拡張	頭蓋内圧亢進時の使用は議論が分かれる（一応**禁忌**）

■ **筋弛緩薬**

一般名	使用量※	効果発現時間	※日本の添付文書では通常0.6mg/kg，挿管用量の上限は0.9mg/kgまで．
ロクロニウム	1mg/kg	1分	

ビデオ喉頭鏡をもちいた気管挿管手技

従来からある喉頭鏡に加え,ビデオ喉頭鏡も多く用いられるようになっている.かつては,直接喉頭鏡で気管挿管ができなかった場合のバックアップとして使用されることが多かった.しかし現在では,プライマリの気管挿管機器として使用されることも珍しくない.また,手技者が顔を患者に近づけないで気管挿管できるという観点から,感染対策上も勧められる.しかし,嘔吐物,血液などにビデオ喉頭鏡は弱く,直接喉頭鏡が必要な症例は存在する.

COVID-19が否定されていない患者に挿管する場合は,かならずfull PPEで迅速気管挿管(rapid sequence intubation: RSI)とする.

▼ 手順

1. McGRATH™ MACを口腔内に挿入すると,まず喉頭蓋が見えてくる.

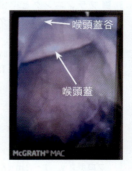

2. 喉頭展開:
喉頭蓋谷にMcGRATH™MACの先端を引っ掛けて上方に持ち上げる.

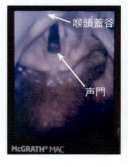

Memo　McGRATH™ MAC

- 従来からあるマッキントッシュタイプのブレードで，挿管の手技も従来と違いはない．よりクリアな視野確保を可能にするために先端部にカメラがついており，これにより直視下では確認できない解剖学的に奥の部分の喉頭内を手前の部分の画面で確認でき，挿管チューブの位置も容易に確認できる．

- 従来のマッキントッシュ型喉頭鏡とMcGRATH™の違いはブレードの「反り」（矢印）にある．McGRATH™のものはやや反りがつよく，マッキントッシュ型喉頭鏡ではみえなかった腹側の画像が鮮明にみえる．つまり，より声門の全体像がみえやすくなる．

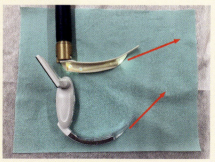

- そこで，McGRATH™で何とか確認できるような声門に対しては，挿管チューブの先端をやや曲げたほうが入りやすい．

3 声門から目を離さず，挿管チューブをゆっくりと進める．

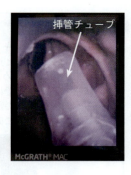

4 挿管チューブの先端が声門通過したら，すぐにスタイレットを抜去する．

5 さらに挿管チューブを進め，声門マーカーが声門の位置に来たところを固定位置とする．

6 カフを膨らませる．

7 用手換気して $EtCO_2$ の値と波形を確認する．

8 問題なければ，挿管チューブを固定する．

> **Point**
> - 挿管手技に慣れていないと，声門を通過した時点で気を抜いてしまい声門マーカーを確認せずにビデオ喉頭鏡を抜去してしまうことがある．声門マーカーを確認せずに挿管チューブを進め，深く入れすぎてしまうと片肺挿管になる危険性があるので，挿管チューブの固定位置を決めるまでビデオ喉頭鏡を抜去しない（最後まで目を離さない）ことが大事である．

> **Memo** エアウェイスコープ（AWS）
> - 間接声門視認型硬性ビデオ喉頭鏡とも呼ばれ，先端にカメラのついたJ字型の形状のイントロック®があり，喉頭蓋を直接持ち上げる操作で挿管を行う．従来の方法とは全く使用法が異なり，sniffing position も必要としない．AWSでは喉頭展開操作は必要なく，イントロック®の下方に声門部が視認される．イントロック®には挿管チューブを声門へと誘導するガイド溝がある．画面上にターゲットマークが表示され，そこに声門を合わせると挿管チューブ先端が正しい位置に導かれる．

> **Memo** EtCO₂ モニター

- モニターを見る場合は値だけではなく,波形を同時に確認する.

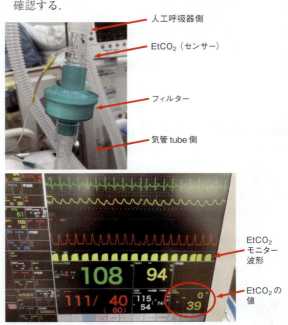

> **Point**
> - ビデオ喉頭鏡の良い点は,指導医が画面上でのチューブの声帯通過をともに確認できるところにある.もちろん気管挿管の確認は,EtCO$_2$モニターなどで行うことはいうまでもない.

Memo　気管挿管確認のエコー

- エコーで気管挿管の可否を確認する場合は,皮下の浅い組織を対象とするリニアプローブを用いる.手順は以下の通り.

① 頸部を伸展させて甲状軟骨下部にプローブを当て,甲状腺と気管を描出.
② そのまま左にスライドし,甲状腺の後ろにある食道を確認.
③ 食道内で空気のアーチファクトを引く場合は食道挿管を疑う.
④ さらに描出したまま挿管チューブを動かし,そのスライディングが気管内であることを確認する.

人工呼吸器の設定について

挿管チューブを気管内に留置することは，人工呼吸管理の最初のステップにすぎない．その後の人工呼吸器の設定，適切な鎮静・鎮痛，及び評価は，気管挿管手技それ自体と同じく重要である．人工呼吸器の設定は，余程の例外がないかぎり，Lung protective therapyに基づいて行う．下記の設定を逸脱してよいのは，閉塞性肺疾患の増悪時，または重度の代謝性アシドーシス（例：糖尿病性ケトアシドーシス）がある時のみ．（詳細は☞『当直医マニュアル』の「人工呼吸器」項目を参照）．

■気管挿管直後の人工呼吸器設定

1. 人工呼吸器モード：A/C（assist control）*

*自発呼吸の有無にかかわらずA/Cは使用可能であるが，自発呼吸がある場合には，本邦ではSIMVが使用されることが多い．

2. 換気方法（従量式，従圧式どちらでも可）
- 従量式（volume control ventilation: VCV）
  ① 1回換気量（TV）：6〜8 mL/kg（理想体重あたり）
  ② 呼吸回数（f）：12〜15回/分
  ③ 酸素濃度（FiO_2）：100%
  ④ 吸気/呼気時間は1：1.5〜2（吸気時間1〜1.5秒）
  ⑤ 吸気休止時間：1呼吸時間の10%
  ⑥ PEEP：0〜5 cm H_2O
  ⑦ PS（Pressure Support）：5〜15 cm H_2O
  ⑧ 気道内圧上限：40 cm H_2O（可能であれば，30 cm H_2O以下を目標）

- 従圧式（pressure control ventilation: PCV）

  ①吸気圧：10 〜 20 cm H_2O
  ②呼吸回数（f）：12 〜 15 回 / 分
  ③吸気／呼気相比は 1：1.5 〜 2
  ④酸素濃度（FiO_2）：100%
  ⑤PEEP：0 〜 5 cm H_2O
  ⑥PS（Pressure Support）：5 〜 15 cm H_2O
  ⑦気道内圧上限：40 cm H_2O（可能であれば，30 cm H_2O 以下を目標）

※初期設定後の調整は，動脈血ガスなどを基に行う．
換気：呼吸回数，1回換気量（VCVの場合），吸気圧（PCVの場合）**
酸素化：FiO_2，PEEP
**設定した圧で，1回換気量が 6 〜 8 mL/kg になっているかを確認する．

■閉塞性肺疾患急性増悪時の設定

A/C（assist control）*

- 従量式（volume control ventilation: VCV）

  ①1回換気量（TV）：6 〜 8 mL/kg（理想体重あたり）
  ②呼吸回数（f）：8 〜 12 回 / 分
  ③酸素濃度（FiO_2）：40%
  ④PEEP：0 〜 5cm H_2O

■重度の代謝性アシドーシスの設定

A/C（assist control）*

- 従量式（volume control ventilation: VCV）

  ①1回換気量（TV）：6 〜 8 mL/kg（理想体重あたり）
  ②呼吸回数（f）：22 回 / 分
  ③酸素濃度（FiO_2）：40%
  ④PEEP：0 〜 5 cm H_2O

*自発呼吸があれば，SIMM も可能．

4 胸骨圧迫

(☞p.286「ALSアルゴリズム」も参照)

Chest compression

●目的
- 心肺停止の患者に対し，主に脳血流を維持するために行われる．心肺蘇生において最も重要な手技であり，CPR（cardio pulmonary resuscitation，心肺脳蘇生術）は胸骨圧迫に始まり胸骨圧迫に終わると言っても過言ではない．

▼ 手 順

- 準備：周囲の安全確認，人手を集める(救急コールなど)，呼吸・脈の確認，など．（☞p.286「ALSアルゴリズム」を参照）

1. 患者を硬い床や背板の上に横にする．

2. 胸骨の下半分に手根部を置く．

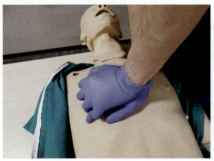

●準備物

- [ ] 背板
  (胸骨圧迫を行う場所が硬い床の上であれば必要ないが,例えばベッドの上など柔らかい場所で行う場合は必要となる)
- [ ] 高さの調節のための足台
- [ ] 感染防護具として,ゴーグル,マスク,手袋,ガウンなど

禁 忌

- 心肺停止状態であれば,DNAR (do not attempt resuscitation) でない限り必要である.例外としては,体外循環装置 (VA-ECMO) の稼働している時.

- 褥瘡用のエアマットを使用しているベッド上での胸骨圧迫の際は,マットの空気を抜いてから行う(そのままではエアマットのクッション性で有効な胸骨圧迫ができない).

この部分を引き抜くことで,ベッドの空気を一気に抜くことができる

3. 患者に対し体を垂直に立て，真下に体重をかけるよう胸骨圧迫する．100〜120回/分の早さで行い，成人では胸骨が5〜6cmほど下がるような強さで胸部を圧迫する．

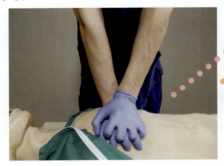

4. （確実な気道確保がされていない場合は）［胸骨圧迫：人工呼吸］を［30回：2回］の割合で同期させて行う．（☞ p. 53 COLUMN「乳児の蘇生」）
5. 人手がある場合には，有効な胸骨圧迫を行うため，疲れる前に1〜2分で術者を頻回に交代する（CPRが途切れないように注意する）．

■ 開胸心マッサージを検討するとき
- 外傷，手術中などですでに開胸している．
- 低体温がある．
- 胸腔内，腹腔内の出血がある．
- 重症肺梗塞がある．
- 胸郭・脊椎の変形がある．

患者説明のポイント
- 患者家族に，患者が生命危機の状態にあることを説明する．患者本人または患者の利益にかかわる代理者の意思を聞き，心肺蘇生法を施行するかどうか確認しておく．DNARが確認できたなら，心肺蘇生は行わない．

- 強く（hard），早く（fast），胸郭を十分に戻して（complete recoil），中断を最小限に（CPR中の胸骨圧迫比率を少なくとも60％に）．

- 胸骨圧迫時，術者は適度に開脚するなど安定した姿勢をとる．
- 術者の両肩関節が患者の胸骨の真上に位置するように加重する．
- 術者の肩・肘・手掌基部が一直線になるように，しっかりとひじを伸ばし，術者の上半身の体重が患者の胸骨の下半分に垂直にかかるようにする．

- 吐血や喀血，嘔吐などにより感染のリスクがある場合は，胸骨圧迫のみでもよい（compression only）．その場合でもCOVID-19が疑われる場合には，エアロゾル拡散防止のため気道の密閉を心掛ける．

- 交代する際はベッドの高さを変える，足台を用いるなどにより，術者の身長に合わせて最も良好な体位がとれる高さに調節する．この際，胸骨圧迫が途切れる時間を限りなく短くすることが重要である（長くても10秒以内）．

■蘇生後の確認

モニターやバイタルサインの確認,合併症検索に胸部X線やエコーなどを行う.蘇生後の患者の状態は通常不安定であり,その原因検索も含めて集中治療を要する.再び胸骨圧迫を必要としそうな場合は,背板をそのまま入れておくことも考慮される.

また,下記のような合併症の有無の検索が必要である.特に気胸の有無は,挿管・陽圧呼吸により容易に緊張性気胸が生じることも考え,確実に評価する必要がある.

蘇生後のケアの検討も行う.

■合併症(骨折があっても胸骨圧迫をためらわない)

	合併症	頻度(%)
主なもの	肋骨骨折	13.0〜97.0 (成人でのデータであり,小児ではまれ)
	胸骨骨折	1.0〜43.0
	気管損傷	18.0
まれなもの	肝損傷	0.6〜2.1
	大動脈破裂	1.0
	胃破裂	<1.0

(*Intensive Care Med* 35(3):397-404, 2009)

乳児の蘇生
（JRCガイドライン2020に準ずる）

　乳児の胸骨圧迫は，胸郭を包み込み両母指球圧迫法，または二本指法で100〜120回/分とする．圧迫部位は胸骨の下半分，深さは胸郭前後径の1/3．医療機関では救命に当たる者は2人以上なので，胸骨圧迫と人工呼吸を15：2の割合で施行する（救命に当たる者が1人のときは30：2）．

胸骨圧迫と人工呼吸の割合

救助者数 \ 患者	成人	小児（思春期まで）
1人の場合	30：2	30：2
2人以上の場合	30：2	15：2

①二本指法（一人法）：第3，4指で圧迫する

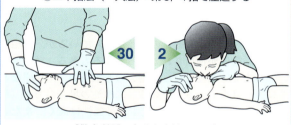

《救命者が1人のときは30：2》

②胸部包み込み両母指圧迫法（二人法）

《救命者が2人以上のときは15：2》

5 除細動 (☞ p.286「ALSアルゴリズム」も参照)

Defibrillation

非同期電気ショック(除細動)

● 目的
- 心室細動（VF），無脈性心室頻拍（pulseless VT）に対して蘇生目的で行う．心臓に高エネルギーの電気を流すことによって，一度心筋を完全に静止させ，その後心筋の自動能が回復するのを期待するというものである（よって心静止には適応がない）．

禁 忌
- 適応があれば特になし．

● 準備物
☐ 除細動器
現在二相性の除細動器の普及が進んでいるが，単相性の除細動器が使用されているところもある．単相性と二相性で除細動を行った場合の心拍再開，生存率などに違いはないとされている．二相性の場合の方が，最初のショックでVFから脱する可能性は高く，また安全性も高いという説もあるが，長期予後に寄与しているかは不明である．

☐ 電極パッド　☐ モニター心電図

☐ ほかに心肺蘇生に必要な物一式
（喉頭鏡，気管チューブ，スタイレット，カフ用注射器など挿管用具一式，バッグバルブマスク，背板など）

☐ 薬剤（アドレナリン，アミオダロンなど）

> **Memo　メーカーの確認**
> - AEDのパッドと除細動器は両者のメーカーが一致していると接続が可能．救急隊または自院のAED・除細動器についてはメーカーまで確認しておくとよい．

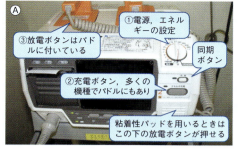

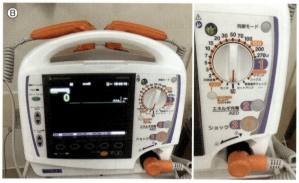

《除細動器の例》
(A：単相性, B：二相性)

> **Memo** 単相性除細動器と二相性除細動器
>
> - 除細動器には，単相性と二相性の2種類がある．
> - パッドの間を流れる除細動の電流が，単相性では電流が一方向であるのに対し，二相性では二方向（プラス極とマイナス極が逆になる）である．
> - 二相性の方が少ないエネルギーで除細動することができ，心筋へのダメージが少ないことから二相性除細動器が主流になってきている．

▼ 手順

1. 患者に除細動器についている電極をつける.

2. 除細動器の電源をON(切→モニタにつまみをひねる).

3. 誘導を選択する. 粘着性パッド装着時は, パッドにモニターリードを付けているなら, 第Ⅰ～Ⅲ誘導のいずれかを選択する.

4. 通電エネルギーを設定.

《操作パネル拡大》

5. 患者の体表面が濡れていれば拭き（漏電の危険）, 貼付剤があれば剥がす. パドルは, 植え込まれているペースメーカから少なくとも1インチ（2.54cm）離す. パドルの表面にジェルを塗るか, 患者の胸に粘着パッドを貼り, その上にパドルを置く.

6. モニターの表示を目で見て確認し, リズムを再度評価する.

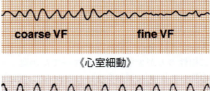

- すでに患者にAEDパッドがついている場合は、除細動器と接続可能であれば、そのままで使用することで迅速な対応ができる.
- パッドは心臓を挟むように貼る.

- 通常はⅡ誘導で行うが、立ち上げたときはパドル誘導になっておりフラットに見えることが多いので注意が必要.

> **Memo**　フラットに見えた際の確認
> - 3つの「ど」：リード，感度，誘導

- 最初から単相性なら360J，二相性ならその除細動器に応じて120〜200J．その除細動器の至適な通電エネルギーがわからない場合は，200Jで行う．また通常起動時には自動的になっているが「非同期モード」に設定.

- パドルを置くとき，パッドを貼るときは，胸部表面に貼っているものを避ける，パッド同士が重ならないようにする，ペースメーカから離す，という点に十分な注意が必要.

> **Memo**
> - ショックの後は，ペースメーカの機能を再評価する必要がある（電流のいくらかはペースメーカのリードを流れてしまうため）.

- パドルにつけるジェルは，伝導性のよい物しか使えない（すなわち，超音波エコーのジェルなどは論外）.

7 チームのメンバーに除細動器をチャージ（充電）することを知らせ，患者から離れてもらう（感電防止）．

8 心尖部（右手）側パドルか除細動器の制御パネルのチャージボタン（写真丸印）を示指で押す．

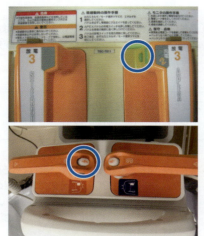

《パドルのチャージボタン》

9 （除細動器が完全に充電されてから）もう一度，自分・人工呼吸をしているメンバー・周囲の人々が，患者から離れていることを，声をあげて確認する（1・自分，2・気道管理者と酸素，3・周囲）．

10 両方のパドルに十分な圧力をかける．

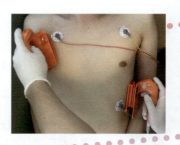

11 最終波形の確認を行う．

- 密着型の粘着パッドが可能なかぎり使われるべきとされている(迅速なショックを行える,効果はパドルと変わらないなどの理由から).

- チャージ(充電)には時間がかかる(二相性では270Jで5秒以内).

> **Memo**
> - 胸骨圧迫の中断時間は10秒以内とされる.パッドであれば充電中も胸骨圧迫が継続できるため,胸骨圧迫中断時間が短くて済む.

- パドルはしっかり押しつける(約11kg重以上).

- 非同期電気ショックの適応にならない波形に変化している場合には,そのまま放電してはいけない.内部放電を行う(内部放電につまみを合わせる).

12 2つのパドルの放電ボタンを同時に押すか，除細動器の放電ボタンを押す．

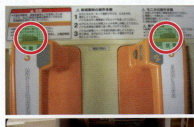

《パドルの放電ボタン》

13 パドルを戻し，すぐにCPRを再開する．

■蘇生後

除細動に成功して心拍が再開しても，再びVF/VTになる可能性があるため，患者のバイタル，モニターは常に監視しておく．

● 合併症
- 除細動パッドを受けた部分に熱傷が生じた場合，（蘇生に成功した場合，ICUへの移動や中心静脈カテーテル挿入などの手技で忙しく忘れられがちであるが）ステロイド軟膏（リンデロンVG軟膏®など）を塗る必要がある．

患者説明のポイント
- その時点では不可能である．患者の意思を確認することが重要である（例：DNAR）が，困難な場合もきわめて多い．家族への説明のポイントは，別項（☞p.64）を参照．

> **Memo** 小児用除細動パドル

- 小児では充電は2J/kg，2回目以降は4J/kgである．

このタイプのパドルは矢印の方向にずらせば，下に小児用のパドルが出てくる．

5 除細動

- 非同期電気ショックの後は速やかにCPRを再開する．
- 電気ショックの後にCPRを再開せずに，リズムチェックを先に行うことは推奨されていない（JRC蘇生ガイドライン2020）．

- パドルで除細動を行っていた場合は，電極パッドを貼って次の除細動に備えるという方法も考えられる．当然，根本治療（例えば，ACS：急性冠動脈症候群に対するPCIなど），薬剤投与なども同時に行う．

同期下カルディオバージョン

●目的
- 基本的な原理は除細動と同じであるが，VFを起こさないように，QRS波と同期させて除細動の場合よりは少ないエネルギーを心臓に流すことで（循環動態が不安定な）頻脈性の不整脈の改善を図る．

●適応
- 血行動態の安定しない頻脈性不整脈（例：脈あり心室性頻脈や血行動態の安定しない心房細動）．

▼ 手順

1. 静脈路確保，鎮静薬（場合によっては抗凝固薬なども）投与．
2. T波よりR波が高くなるような誘導を選択する．
3. 同期スイッチをonにする（絶対忘れない！）．

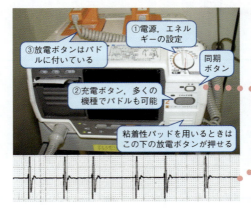

●準備物

- [ ] 除細動器
- [ ] 心電図モニタ
- [ ] SpO₂モニタ
- [ ] いつでも挿管できる準備（喉頭鏡，気管チューブ，スタイレット，カフ用注射器など挿管用具一式，バッグバルブマスク）
- [ ] 薬剤（鎮静薬，アドレナリン，アトロピン，アミオダロン，リドカイン，マグネゾールなど）

禁 忌

- 適応があれば，特になし．

- 鎮静薬投与後，深い鎮静が得られるまでには一定時間かかる（☞ p.70〜71 COLUMN「処置時の鎮静および鎮痛」を参照）．
- 呼吸性アシドーシスがあるような場合は，鎮静薬を用いる前に改善させておく．

- 鎮静前に十分に酸素化を行う．
- 鎮静薬投与後は，呼吸の確認を怠らず，必要ならバッグ換気をする．

- 同期ボタンを押した後は，同期表示を確かめる．T波ではなく，確実にQRS波をとらえていることを確認する．

4 通電エネルギーを設定する．

5 酸素マスクを外した後，電極パドルを押し当て，放電スイッチを押す．

6 終了後はすぐに脈を触れ，心電図モニタを確認し，バイタルサインを測定．
鎮静した場合は，覚醒を十分確認すること．

●合併症
- 致死的不整脈の発生
- 熱傷

患者説明のポイント
- 循環動態が不安定な場合は，患者も不隠（ショックによる症状）となり，時間的にも余裕がない．特に初めての場合は，患者も（そして術者自身も）動揺していることに留意して電気ショック（カルディオバージョン）を行うこと，そのために少し眠ってもらうこと（鎮静薬）などを簡潔に自信をもって説明するよう努める．

- カルディオバージョンの場合,心房細動と心室頻拍では100Jから,心房粗動とそれ以外の上室性頻脈では50Jから行う(単相性の場合:50J→100J→200J→300J).

- 非同期下の除細動と違い,同期するまでに一瞬,時間がある.離さず押し続ける(数秒程度).

- 感電に注意する.(詳細は☞ p.58～「非同期電気ショック(除細動)」を参照)

- 安定していても,気道確保が必要な可能性のある間はその場を離れてはいけない.

■非同期電気ショック(除細動)と同期下カルディオバージョンの相違点

	非同期電気ショック(除細動)	同期下カルディオバージョン
適応	VF, pulseless VT	不安定な頻脈性不整脈
同期	なし	あり
静脈路	CPR,除細動が最優先	確保する(ただし,カルディオバージョンを遅らせない)
エネルギー	単相性:360J 二相性:200J(他に指定がない場合)	単相性:100J(心房細動),50～100J(心房粗動,それ以外の上室性頻脈)から開始 二相性:はっきりとはデータが出ていないが,100～120Jから
放電後	すぐにCPR再開	心電図モニタと脈を確認,バイタルサイン確認

経皮ペーシング(TCP)
Transcutaneous pacing

● 目的
- 血行動態が不安定な徐脈 (MobitzⅡ型や完全房室ブロックなど) に対して，経皮的に心臓に通電することで一時的に心拍数の増加を期待する．

禁 忌
- 適応があれば，とくになし．

▼ 手 順

1. 覚醒していれば病状や治療の必要性を説明し，患者の鎮静を行う．

2. 患者に除細動器についている電極と粘着パッドをつける．

3. 除細動器にパッドの中継ケーブルを接続し，ケーブルと粘着パッドを接続する．

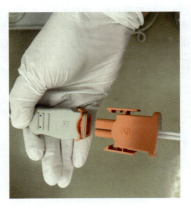

●準備物
- [ ] 除細動器(経皮ペーシング機能が付いたもの)
- [ ] 電極
- [ ] 粘着パッド
- [ ] 中継ケーブル
- [ ] モニター心電図
- [ ] いつでも挿管できる準備
  (喉頭鏡,気管チューブ,スタイレット,カフ用注射器など挿管用具一式,バッグバルブマスク)
- [ ] 薬剤(鎮静薬,アドレナリン)

●合併症
- 熱傷
- RonTによる致死的不整脈

> **Point**
> - 鎮静薬投与後,深い鎮静が得られるまでには一定時間かかる(☞ p.70〜71 COLUMN「処置時の鎮静および鎮痛」を参照).

4 出力エネルギ／モード選択つまみでデマンドモードを選択する．

5 ペーシング強度0mA，レート60回／分に設定する．

6 スタート／ストップキーを押して開始する．

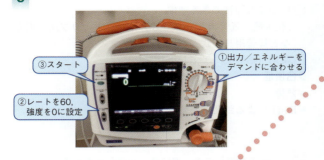

- ③スタート
- ①出力／エネルギーをデマンドに合わせる
- ②レートを60，強度を0に設定

7 ペーシングできるまで出力を上げる．

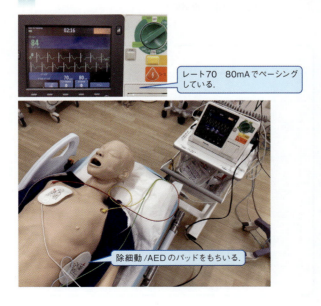

レート70　80mAでペーシングしている．

除細動/AEDのパッドをもちいる．

> **Point**
> - 移動時や筋電図などで誘導の変更を行ってもペーシングされない（＝オーバーセンス）際に，RonTに注意しつつフィックスモードでの使用を検討する．

> **Point**
> - モニターを見ながら大腿動脈を触知しつつペーシングされる強度を確認する．
> - ペーシングされる強度より2mAほど高く設定する．
> - 誘導の変更を行ってもペーシングされない（＝オーバーセンス）際に，RonTに注意しつつフィックスモードでの使用を検討する．
> - ペーシングスパイクは出るのに強度を上げても体幹のみの筋収縮となるときは，パッドを心臓を挟むよう貼り直してみる（とくに左側のパッドを背側に貼る）．

処置時の鎮静および鎮痛
(PSA：Procedural sedation and analgesia)

・痛みや不快感を伴う処置を行う際の

　　鎮静 　and/or 　鎮痛

例：

① カルディオバージョン施行時にミダゾラムおよびフェンタニルを用いる．

② 肩関節脱臼整復時にケタミンを用いる．

※処置及び鎮静前には，事前評価や計画作成，患者への説明と同意は必須である．

注意：

・合併症発生時（気道，呼吸器系が多い）への対処ができない者は，PSAを行ってはいけない．処置を実施する者とは別に，鎮静施行者（薬剤の投与，モニタリングを行う者）が必要．一人では絶対行ってはならない．

・行う処置や患者のリスクに応じて，適切な鎮静の深度を考える．

■米国麻酔科学会による（連続した）鎮静深度の分類
（著者訳，一部改変）[1]

	浅い	中等度	深い	全身麻酔
反応	呼びかけに正常に反応	呼びかけや刺激に対して意味のある反応	繰り返す刺激に対して意味のある反応	痛み刺激に対して反応なし
気道	影響なし	介入必要なし	時に介入が必要	頻繁に介入が必要
呼吸	影響なし	保たれる	時に不十分	頻繁に不十分
循環	影響なし	通常大丈夫	通常大丈夫	影響が出る可能性あり
例	MRI	脱臼整復，消化管内視鏡	カルディオバージョン	開腹手術

1) *Anesthesiology*, **96**：1004-1017, 2002

処置時の鎮静および鎮痛に用いる一般的な薬剤

（静脈内投与時）

分類	一般名	投与量	効果発現までの時間	ピークエフェクト※	注意点
鎮静薬	ミダゾラム	0.05mg/kg（成人では通常1〜2mg）	1分	3分	呼吸抑制，血圧低下，<u>禁忌：狭隅角緑内障</u>
鎮静薬	プロポフォール	1mg/kg	30秒〜1分	30秒〜1分	呼吸抑制，血圧低下，血管痛，<u>禁忌：卵／大豆アレルギー</u>
鎮静薬	ケタミン	1mg/kg	1〜2分	1〜2分	喉頭痙攣，気道分泌物増加（頭蓋内圧亢進時の使用は議論が分かれる）
鎮痛薬	フェンタニル	<u>1μg/kg</u>	30秒	2〜4分	呼吸抑制

※鎮静が不十分な際は，必ず効果が最大になる時間（ピークエフェクト）まで待ってから，追加投与の判断を行う．
・高齢者には半量を用いて，追加投与までの間隔を長くする．
・投与量は標準体重を用いて計算する．

6 圧迫止血法

Hemostasis via direct pressure

目的
- 生命に危険を及ぼす可能性のある出血に対して適切な止血を行う．
- 出血点を確認し，速やかに適切な止血を行う．
- 外傷，術中など，いかなる時も基本は圧迫止血である．

処置開始前の準備
①手袋などの感染防護用具を身につける．
②手元にガーゼをたくさん用意する．
③出血部位が見える体位をとる．
④清潔操作が可能なように道具を揃える．
⑤出血量によっては救急カートが必要になる．静脈路確保もできるようにする．

手 順

- 基本は「**用手圧迫法**」(出血局所の直接圧迫)
1. oozing なのか，動脈性なのか，静脈性なのか(拍動の有無)確認する．
2. 出血部位を確認したら，滅菌ガーゼを出血部位に置き，その上から指先や手掌で最低3～5分間押さえる．出血部位が深ければ，ガーゼをさばいて創の奥に押し込み，圧迫する．(☞ p.76 Memo「ガーゼをさばく」を参照)

> **Memo** **用手圧迫法**(出血局所の直接圧迫)
>
> - その場で止血可能か判断する．
> - 場合によっては，人手を集めたり，手術室へ連絡する．

● 準備物
- [ ] 滅菌ガーゼ
- [ ] 摂子
- [ ] 手袋（非滅菌でも可）などの感染防御用具
- [ ] 消毒薬，局所麻酔薬，包帯，止血材料など
    アルギン酸塩繊維：カルトスタット®
    ゼラチン剤：スポンゼル®
    酸化セルロース：オキシセル®
    コラーゲン線維：アビテン®

● 確認事項
重篤な合併症を引き起こす可能性があるため，必ず確認を．
- 既往歴（出血傾向，肝疾患など）
- 内服内容（抗血栓薬（抗血小板薬，抗凝固薬）など）
- アレルギー歴（消毒用アルコール，キシロカイン®など）

- 盲目的に鉗子を使わない（周囲の組織を損傷させるリスクあり）．

- 目の前の出血部位の止血だけで終わってはいけない（深部からの出血に注意，例：外傷性腹腔内出血）．

- 術者の感染防止のため手袋を装着する．
  場合によっては，ディスポーザブルのエプロンや医療用ゴーグルなども着用する．

- ガーゼが間に合わなければ，タオルなどの布生地，自らの手掌や指で押さえる．

3 出血源が四肢であれば,止血したい部位を心臓よりも高い位置に置く.

4 目に見えないところにも出血点がないか探す(腹腔内や深部静脈).

5 十分な圧迫がされているか確認する(不十分な圧迫は血腫や再出血のもと).

6 止血の確認後の処置(☞ p.250「軽度外傷の処置」を参照)

> **Memo**
>
> ### 支配動脈圧迫(間接圧迫)
> - 中枢側の支配動脈を拍動を感じながら圧迫する.
> - 四肢などの場合は,包帯で四肢を縛る.

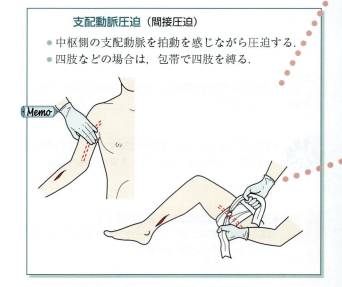

以下の場合は止血が不十分なことが多いので注意する．
- 創部が広い場合
- 出血源が深い場合
- 出血源の特定が困難な場合
- 出血部の局所直接圧迫が困難な場合

- 上肢であれば，上腕部や腋窩で動脈を圧迫する．
- 下肢であれば，鼠径部付近で大腿動脈を圧迫する．

> **Memo** ターニケット
>
> - 四肢の外傷で出血コントロールがつかない場合には，ターニケットで駆血を行い専門医コンサルトを行う．
>   【駆血圧の例】：（収縮期血圧）×2.5倍，60分まで
>
>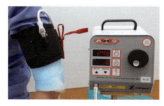

- 包帯で四肢を縛る．ただし，30分ごとに圧迫解除しなければ，末梢側の合併症のリスクが高くなる．さらに末梢側の指や趾であれば，包帯や紐で中枢側を縛ったり，基節を両側から強く挟む．

- A-lineやシース抜去後の動脈圧迫は，最初の5分間は拍動を感じないぐらい強く圧迫する．その後，拍動を感じる程度の圧迫を数分間行い，止血具合を見ながら圧迫を徐々に解除する．（圧迫時間の目安はFr×3分）
- 透析のシャントの場合は，シャントを潰さないように注意する．（スリルを触れる程度の強さで圧迫する）

> **Memo**　ガーゼをさばく

- 折り畳まれているガーゼを，ガーゼの隅の一箇所を摂子で持ち上げ，パサパサにして，創部の奥まで押し込められるようにすること．
- ガーゼの角や一点を摂子で持ち上げて，軽く揺すると上手くできる．

> **Memo**　鼻出血（間接圧迫＆直接圧迫）

- 基本は両鼻翼の圧迫（氷で冷やしてもよい）．
- 止血が不十分ならば，さばいたガーゼを端から鼻腔の中へ詰め込む．
- 首は前屈させ，なるべく口腔内へ垂れ込まないようにする．
- 鼻腔から口腔内へ垂れ込んだ血液は手元の容器へ吐き出す．

処置後検査
- 採血(易出血性が疑われれば,出血時間,APTT, PT-INRなど)
- X線撮影(外傷の場合,骨折やガラス片等を確認するため)

合併症
- 術者や患者の感染(☞ p.250「軽度外傷の処置」を参照)
- 血腫(不十分な圧迫による)
- 支配動脈を中枢側で圧迫(絞扼)した場合の末梢側の循環障害(組織壊死など)
- 出血量によっては血圧低下

患者説明のポイント
- 血腫が形成される可能性があるため,処置後も十分に圧迫すること.
- 感染のリスクもあるため,処置後に傷や傷周辺の腫脹,熱感が出現した場合は,速やかに受診すること.

- 仰向けにならない.
- 鼻血を飲み込まない(嘔吐のリスクになるため).

- マーライオンのように口を開ける.

- ガーゼ:5,000倍に希釈したアドレナリン(ボスミン®)と4%リドカイン塩酸塩(キシロカイン®)(極量200mg)に浸したガーゼを鼻腔に詰め込む.なお,アドレナリンのみの施設もある.

7 包帯法

Bandage

● 目的

- 従来の目的は創傷部位の清潔な被覆である．
  救急では止血・固定が目的となる．
- 固定の場合は，緩過ぎず，きつ過ぎず巻き，局所の安静固定を図る．
- 良肢位を保つ（骨折や捻挫の際は良肢位固定が基本）．
- 患部の清潔を保ち，機械的損傷から守る．
- 止血では創部の圧迫・固定（止血補助：ガーゼの上から，もしくは患部の中枢側）．
- 患者に安心感を与えるため．
- 患者に無理なことをさせないため．
- 周囲の者が注意するようにするため．

● 準備物

- [ ] **伸縮包帯**：伸張性に富む．縮れたような薄い包帯でガーゼなどを固定するために用いることが多い．
- [ ] **弾性包帯**：多少厚みのある弾力性に優れた包帯．関節可動域を少しだけ制限できるため，軽い関節固定や関節部位の湿布固定などを行うために用いることが多い．
- [ ] 包帯を止めるテープや留め具類．
- [ ] 膿盆，ガーゼ，消毒薬，シーネ（☞ p.250「軽度外傷の処置」を参照）など．

《上：伸縮包帯，下：弾性包帯》

●処置開始前の準備
- 患部が見えやすく,処置しやすい体位をとる.

●確認事項
- 外傷の基本は"RICE".（☞ p.261 Memo を参照）

> **Memo　包帯の巻き方**
>
>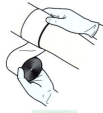
>
>
> **環行帯**
> 同じ部位に幾重にも巻きつける方法.
>
> **らせん帯**
> 巻く位置を少しずつずらして（包帯幅の1/2〜2/3を重ね合わせるように）らせん状に巻きつける方法.患部が大きい場合に用いる.
>
>
>
>
>
> **折り返し巻き**
> 指先や趾先などの細く飛び出した部位に用いる.
> すっぽ抜けやすいのが欠点.
>
>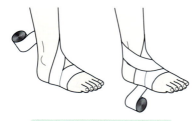
>
> **八の字巻き（関節での包帯法）**
> 可動範囲の大きい膝関節や足関節などに用いられる.
> 緩みやすいのが欠点.

▼ 手順

1. 関節痛や外傷の場合はレントゲンで骨折や脱臼などを否定する．

2. 緊急性のない骨折や捻挫の場合は以下の方法でシーネなどを用いて包帯を巻き，固定する．

3. 脱臼の場合は専門医へコンサルトする．(☞ p.266「脱臼の徒手整復」を参照)

4. 出血の場合の固定は環行帯でしっかりと圧迫する．

5. 固定は罹患部をまたぐ2関節固定が原則である．しかし，橈骨遠位端骨折では肘関節やMP関節は固定しないことが多い．また，下腿，足関節の骨折や捻挫ではMTP関節を固定しないことが多い．

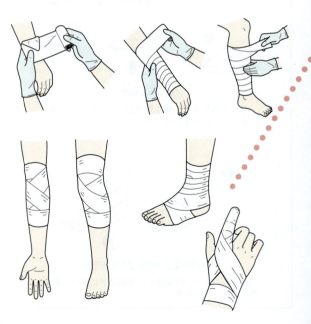

- 受傷機転の問診なども参考にして訴え以外の場所に受傷部位がないか探す.

- 固定は良肢位で行う.
 (☞ p.250「軽度外傷の処置」を参照)

- 受傷後, すぐに患部に湿布を貼ってしまうと, 診療時に発赤・腫脹が認められた場合, 皮膚のかぶれ (接触性皮膚炎) なのか, 患部から周囲への炎症の波及なのか, わからなくなってしまう.

- 固定の際, 肢位は神経血管障害がなければ中間位や良肢位が原則である. これは, 患部に余計な力が加わらないようにするためである. また, しびれが出現すれば, 良肢位ではない可能性や過剰な圧迫, コンパートメント症候群などの可能性がある.

処置後検査
- 患部のX線撮影
- 末梢側のしびれなどの神経障害の有無
- 末梢側の動脈の拍動の確認
- 末梢側の冷感の有無

合併症
- 末梢側の循環不全・血行障害 (冷感, チアノーゼ, コンパートメント症候群など) (☞ p.264 COLUMNを参照)
- 神経障害 (しびれなど)
- 筋・関節の拘縮, 萎縮
- 皮膚のかぶれ (接触性皮膚炎), 褥瘡, 感染

患者説明のポイント
- 包帯を巻いた部位やその末梢側に違和感 (痺れや冷感など) を生じた場合は, すぐに受診するように伝える.
- 包帯を巻いたその日は, 患部の腫脹やさらなる出血を防止するため, 患肢の挙上や安静を指導する.

8 注射法

Injection

皮内注射

●目的
- 真皮内に薬液を注射する方法（下図）．
- 真皮は血管に乏しく，薬剤の吸収は遅いこともあり，薬剤の効果の持続時間は長い．

●適応
- **診断的使用**：ツベルクリン反応，アレルゲン検出皮膚反応
- 一部の予防接種ワクチン投与

●準備物
- ☐ 消毒用綿（アルコール，ヒビテンなど）
- ☐ 注射針（26〜27G）（細いものを使用）
- ☐ 注射器
- ☐ 投与薬剤（通常少量投与のため，正確に充填するよう注意）
- ☐ 固定テープ
- ☐ 止血用乾綿（もしくは絆創膏）
- ☐ 針捨てボックス

《1患者1トレイ》（例）

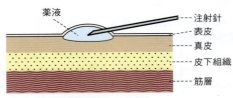

《皮内注射解剖イメージ》

●副作用・合併症

■薬疹
■アナフィラキシーショック
- 特にアレルゲンテスト，薬剤過敏症試験の場合に発生することがある．

■アナフィラキシーショックが起こったら
- 酸素投与，輸液にてバイタル安定をはかるとともに，アドレナリン筋肉注射を迅速に施行する．ほか，ステロイド点滴，抗ヒスタミン薬点滴を行い，十分な観察下におく必要がある（☞『当直医マニュアル』を参照）．
- 施行者は，もしもの場合の準備はあらかじめ備えておく必要がある．

Memo 注射部位の選択

- 皮膚反応をみるときは角質層の薄い部分，発毛が少ない部分など，反応の確認しやすい部位を選択する．

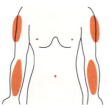

（選択例）

ツ反，薬剤過敏症試験	前腕屈側の皮膚
アレルゲンの検索	背部の皮膚

手順

1 消毒後,皮膚を末梢側に軽く伸展する.

2 針先を刺入する.

3 伸展手を離し,拇指で針基を固定,内筒を引いて血液の逆流がないことを確認し,薬液を注入する.

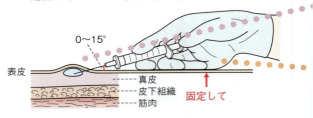

4 乾綿を当てて抜去,止血まで軽く圧迫する.

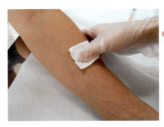

- 伸展に使用する手を刺入部より末梢側へ5cmほど離すと手技の邪魔になりづらい.
- 伸展させることで皮膚が逃げるのを防ぎ,スムースな刺入が可能となる.

- 針先が完全に入るまで数mmを一気に刺し,その後,皮膚をすくうように約1～2mm進める.
- 効果的な伸展に加え,刺入の手技が素早いほど,患者の苦痛は緩和される.

- 蚊に刺されたような跡(膨疹)ができたら皮内.(できないなら皮下注射になっている.手技の目的に応じ,必要なら再度,別の場所への施行を検討する)

- 第3～第5指の基節骨背部を患者の体に触れ固定すると,刺入～注入中にぶれることがなく,安定する.

- 皮膚反応検査では,強く圧迫しすぎない!(擦過が反応に影響を与えてしまうため)
- 注射部をこすらないように患者に指導する.
- コントロールも同時に注射するなら区別できるようマーキングすること.

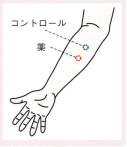

皮下注射

目的
- 真皮〜筋肉間の皮下組織内に薬液を投与する．
- 皮下組織は比較的血管に乏しいため薬剤の吸収は緩徐である（吸収速度は約30分程度）．

適応
- 内服や直腸内投与が不適切な薬剤投与
  （例：インスリン，インフルエンザなどの予防接種）
- 経口摂取が不可能な患者への薬剤投与

準備物
- ☐ 消毒用綿（アルコール，ヒビテンなど）
- ☐ 注射器（薬液量に応じて）
- ☐ 注射針（22〜25 G）
- ☐ 薬液
- ☐ 針入れボックス
- ☐ 絆創膏もしくは乾綿
- ☐ トレイ

《1患者1トレイ》（例）

副作用・合併症
- **アナフィラキシーショック**：過敏症薬剤による．
  （☞ p.83「皮内注射」を参照）．
- **神経損傷**：上腕外側下部などの神経麻痺を起こしやすい部位を避ける．
  （針を刺入したときにしびれが放射状に走る場合にはただちに抜針し，症状をよく観察する．可能なら刺入部を変えて再施行する）
- **注射部位の疼痛，硬結，発赤**
  （糖尿病のインスリン注射など反復した皮下注射が必要なときは同一部位に反復すると硬結ができ，薬剤吸収も悪くなるため，順次場所を変えるように指導する）
- **刺入部からの感染の可能性**：感染を起こさないよう，清潔操作に留意する．

皮下断面(図)と注射器の持ち方
- 拇指と中指で注射器を持ち,示指は針基へ.
- 他の指は軽く注射器を保持するか,患者の体に当てて安定させる.

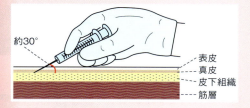

8 注射法

 注射部位の選択

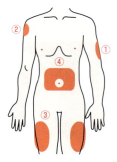

 神経・血管が少なく,痛みの少ない部位を選択する.

①上腕伸側部	肩峰先端または上腕骨頭中央部と肘頭を結んだ直線の下1/3の外側部
②三角筋上層部	肩峰先端から3横指下の三角筋中央か,やや胸部寄り
③大腿四頭筋外側広筋上層	大転子と膝蓋骨を結んだ線の中央
④腹壁前面	主にインスリン注射に使用する

▼ 手順

1 消毒後，皮膚を反対側の手でつまみ上げる．

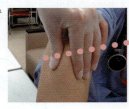

2 10〜30°の角度で針を刺入する．
（指先のしびれ，放散痛がないことを確認する）

3 薬液を注入する．

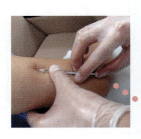

4 乾綿を当てて抜針し，止血まで圧迫する．

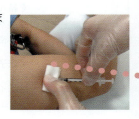

- 小児への予防接種など，刺入時に暴れることが予想されるときには，介助者（もしくは親）にしっかり固定してもらうよう協力を要請すること．
  （例：介助者と向かい合うように抱き合い，刺入側の脇の下に手を回して，反対側の手で前腕を持つようにすると安定する）

介助者の右手を脇の下，介助者の左手で子の前腕部を持つ

- 「手がしびれたりしませんか？」などの声かけを忘れずに行うこと．
- もし，しびれや放散痛などがあったときはすぐに抜針し，症状を観察，可能なら刺入部を変えて施行する．

- 第2～5指先など，シリンジを持つ手のどこかを患者の体に触れ固定すると，刺入～注入中に針先がぶれることがなく，安定する．

- 以前なされていた逆血確認は，まず血管内注入はないこと，手技による疼痛増強なども指摘され，現在では不要とされている．

- 薬剤の緩徐な吸収を狙うときはマッサージなし．
  （例：インスリン注射，予防接種など）

筋肉内注射

●目的
- 筋肉内に薬剤を投与する方法.
- 吸収速度は約10〜20分である.

●適応
- 刺激性の薬液,懸濁液,油性液などの薬剤で他の注射法が適さない場合.
- 緩徐な効果発現と効果の持続を図りたい場合.

●準備物
- □ 消毒用綿(アルコール,ヒビテンなど)
- □ 注射器(薬液量に応じて)
- □ 注射針(22〜25G)
- □ 薬液
- □ 針入れボックス
- □ 注射後の絆創膏,乾綿など
- □ トレイ

《1患者1トレイ》(例)

●副作用・合併症
- SIRVA (Shoulder Injury Related to Vaccine Administration;ワクチン接種に関連した肩関節障害):三角筋へのワクチン接種後に生じる肩関節障害の総称.ワクチン接種によって肩関節周囲炎,滑液包炎,腱板炎などが生じた状態で,肩峰から3cm以内の接種で生じるおそれがある(肩峰下滑液包の分布と関連).
- **神経**:患者がしびれ,放散痛を訴える場合ただちに中止,症状を確認.可能なら注射部位を変更して再施行する.
- **折針**:痛みによる急激な筋肉の収縮や体動により,注射針が折れることがある.
- **アナフィラキシーショック**(☞ p.83「皮内注射」を参照).
- **感染**:注射部位の清潔操作に留意する.

Memo 注射部位の選択

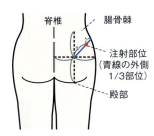

a. 肩峰から下ろした線
b. 前腋窩線の頂点と後腋窩線の頂点を結ぶ線

肩峰

注射部位
（aとbが交わる点）

より安全な オススメ部位	肩峰から下ろした線と，腋窩線を結ぶ線の交点．

脊椎 / 腸骨棘
注射部位（青線の外側1/3部位）
殿部

中殿筋： 4分3分法	片側殿部を四等分し中心から腸骨後上棘を結んだ線で三等分し，外側から1/3の部位．

▼ 手順

1 消毒後,手をあてて皮膚を固定する.

2 45〜90°の角度で針先を2/3ほど刺入する.
(指先のしびれ,放散痛がないことを確認する)

3 薬液を注入する.

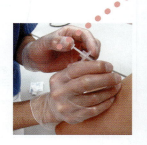

4 素早く抜針し,乾綿を当てる.

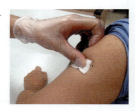

- 大腿・殿部への場合はシリンジを持つ手とは反対の手で皮膚を伸展させるようにする.
- 「筋肉をつまみあげる」ことはしない（皮下注となるおそれがある）.

- もし, しびれや放散痛などがあったときはすぐに抜針し症状を観察, 可能なら刺入部を変えて施行する.

- シリンジを持つ手のどこかを患者の体に触れ固定すると, 刺入〜注入中にぶれることがなく安定する.

- 薬液の注入時に, 圧力で針と注射器の接続が外れることがあるため注意.
- ルアーロック式の注射器を使用する方法もある.
- 逆血確認は近年では不要とされている.

筋肉内注射で「揉まない」ことについて

かつて多くの筋肉注射は「揉む」ことを求められていたが, 今はごく一部例外を除き, 「揉まない」ことが主流である.

筋肉内注射は注射後, 数分ほど揉まなければ硬結ができることがある. これは, 筋層とはそもそも組織が密であり, 薬剤が拡散しにくいという理由から起こることである. 仮に硬結ができてしまったとしても, これらは時間をかけて自然吸収される. また, 揉むことで皮下出血をおこすとも言われている.

薬剤の性状により, 揉むかどうか適応が異なることがあるため, 事前に添付文書を読むなど注意を要する.

9 点滴法

Intravenous infusion

●目的
- 輸液の注入法である．静脈内に注射針を留置し，一定時間に一定量の輸液を注入する．（☞穿刺法はp.100「末梢静脈確保」を参照）

●適応
- 注射液量が多いとき．
- 薬物の血中濃度を一定に保ちたいとき．

●準備物
- ☐ 翼状針もしくは留置針（18〜24G程度）
- ☐ 点滴ルートエクステンションチューブ
- ☐ 輸液製剤　☐ 消毒綿
- ☐ 三方活栓　☐ 点滴台
- ☐ 駆血帯　　☐ 固定用テープ
- ☐ 針入れボックス

《準備物》

Memo　点滴速度の調整

- 自然滴下なら滴数を数えて，輸液量を設定する．

成人用	1mL = 20滴 輸液量（mL/h） =滴数（分）×3〜4
小児用 （微量用）	1mL = 60滴 輸液量（mL/h）=滴数（分）

（左：成人用，右：微量用）

輸液ポンプとシリンジポンプ

■輸液ポンプの設定手順

①接続，点滴液充填が完了したことを確認のうえ，チューブを輸液ポンプにセットする．

②輸液速度（時間あたりの輸液量），輸液総量（点滴バッグの容量とするのが一般的）を設定する．

③クランプ（クレンメ）を緩めて開始ボタンを押し，滴下を確認した後，一時停止として，準備完了となる．

■シリンジポンプについて

シリンジポンプは 50 mL や 20 mL の注射器に薬剤を充填し（もしくは，プレフィルドシリンジ薬剤），微量の持続点滴をする際に用いる．

微量で効果を発揮する薬剤に用いるため，流量の誤りや接続時のフラッシュは絶対に避けなければならない．

● 輸液ポンプの扉を開けると急速滴下になるので，**必ずいったんクランプ（クレンメ）を閉じてから行うこと**．また，再開後にはクランプ（クレンメ）を開放すること．確認，指差し再確認．

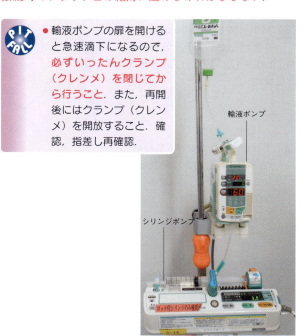

▼ 手順

1 パックを開け,まずクランプ（クレンメ）を閉める.

2 導入針を輸液製剤に対し,垂直に刺す.

3 ドリップチャンバーの遠位を折り曲げながら,チャンバー内に1/3～1/2程度,点滴液を満たす.

4 クランプ（クレンメ）を緩めて,点滴セット先端まで薬液を満たしたら,クランプ（クレンメ）を閉める.

5 回路内のエアーを抜く.

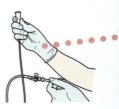

- 回路の接続は緩まないよう注意が必要である.
- ロック式は差し込んだ後,ロック用ねじを回して固定する.ロック式でないものは差し込み,軽くねじ込むようにする.強すぎるとひび割れるため注意.

ロック式

- 斜めに刺すと導入針が破損することがあるため,まっすぐ垂直に刺すことが大切.

- チャンバー内へ入りすぎたときはひっくり返して1〜2回チャンバーを揉めばよい.

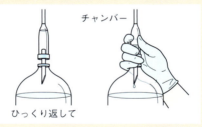

チャンバー

ひっくり返して

- ゴム管の部分や三方活栓部分は構造上エアーが溜まりやすい.溜まった部分の先端に近い方を上に向け,指ではじいて再度クランプ(クレンメ)を少し開放することでエアーを抜くことができる.
- ボールペンなどにルートを巻きつけて,エアをチャンバー内に戻す方法も現場でよく用いられる.

●偶発症と対応

■薬液漏れ

- ほとんどは圧迫・経過観察でよい(自然吸収されていく).
- 皮膚に毒性のある薬物,特に抗腫瘍薬はそれぞれの対処法に従う(例:ステロイドの局所注射など).

■注射薬の配合変化に注意
(例:沈殿ができる,ルート閉塞するなど)
(☞『当直医マニュアル』を参照)

Memo　点滴速度低下の原因検索

血管外への漏れ	穿刺部の腫脹・疼痛に注意(上記注意を参照)
輸液バッグ・ボトル位置が低い	点滴台にて高さを再調整
回路のねじれ・屈曲	回路をすべて見て,シンプルに
体位や関節での圧迫	穿刺位置の再検討など
固定が強すぎる	再固定
血栓形成	ヘパリン・ロックなどで予防を
エア針(☞p.99)の閉塞	再穿刺,エア針の追加を検討

エア針

　ガラス瓶や硬いプラスチックボトルに充填された輸液は点滴時に外気を導入しないと，容器が陰圧になり，薬液は排出されない．そこで，輸液のゴム栓部に対して外気を導入するのが「エア針」である．

　近年はソフトボトル（輸液ボトルそのものが変形する）の登場で，エア針を必要としないタイプが増えてきているが，一部の輸液ボトルにはガラス製などがあり，導入針を刺しても輸液が落ちてこない場合もある．あわてないように．

　輸液セットによっては導入針部にエア針の役割を果たす機構が組み込まれたタイプのものもあるので，自施設ではどうなのかを確かめておくとよい．

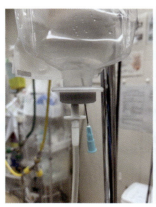

10 末梢静脈確保

Peripheral intravenous access

● 目的
- 長時間継続的な輸液療法が必要な場合に行う手技．
- 他の静脈確保に比べ容易で安価，合併症も少なく，持続静脈注射の基本手技といえる．

● 適応
- 持続点滴注射の最も一般的手法．
- 心肺蘇生中も施行が可能であることは利点．

● 準備物
- ☐ 留置針（18～24 G 程度）　☐ 輸液セット一式
- ☐ 消毒綿　☐ 駆血帯　☐ 固定用テープ
- ☐ 止血ガーゼ　☐ 針入れボックス

Memo　前腕・手背の静脈走行と穿刺部位の選択

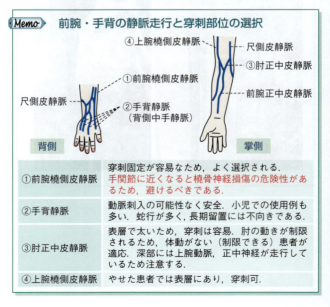

①前腕橈側皮静脈	穿刺固定が容易なため，よく選択される．手関節に近くなると橈骨神経損傷の危険性があるため，避けるべきである．
②手背静脈	動脈刺入の可能性なく安全．小児での使用例も多い．蛇行が多く，長期留置には不向きである．
③肘正中皮静脈	表層で太いため，穿刺は容易．肘の動きが制限されるため，体動がない（制限できる）患者が適応．深部には上腕動脈，正中神経が走行しているため注意する．
④上腕橈側皮静脈	やせた患者では表層にあり，穿刺可．

> **Memo** 禁忌の状況

- 以下の状況では慎重施行もしくは**禁忌**となる．

血管が見つからない・確保できない	他の投薬ルートを検討する．
浸透圧・pH差	静脈炎発症のリスクからブドウ糖なら10%まで．それ以上は中心静脈確保を検討する．
漏出が問題となる薬剤	抗腫瘍薬や蛋白分解酵素阻害薬などは漏出で壊死や潰瘍を形成するため，確実な投与を考えて中心静脈確保を選択することもある．

> **Memo** 貫通した場合は……

- 静脈を貫通したときには，内筒を抜き，少し外筒を戻して，逆流があったところで外筒を進めると留置できることがある．

①

② 内筒の金属針を抜去

③ 外筒を1〜2mm引く

④ 外筒をゆっくり挿入

> **Memo** 穿刺に失敗したときには……

- 同側で再穿刺するときには前回よりも中枢側で施行すること．
- 基本的には失敗したときには部位を変えて行うのが無難．
- 再トライは2〜3回までとし，患者との信頼関係を壊さないために，それ以上は術者交代を行うことが重要．
- 上手な人の手技は必ず見て，技術を盗むこと．仮に失敗してもその後の人の手技を見て成長しよう！

▼ 手順

1. 駆血帯で穿刺部中枢側を締め，十分にうっ血させる．

2. 消毒の後，反対側の手で穿刺と反対方向へ皮膚を伸展，固定する（静脈を逃がさない）．静脈の走行に一致させ，15〜30°程度で（寝かせて）穿刺する．

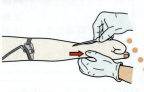

3. 内筒に逆流を確認，刺入角度をさらに寝かし，針先を1〜2mm進め，内筒を抜いて外筒への血液逆流を確認．その後外筒のみを刺入，留置する．

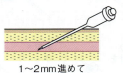

1〜2mm進めて　　　　　内筒を抜く

4. 留置完了し，駆血帯を取り除く．その際，留置針先端部分の皮膚を圧迫し，出血を防いでおくこと．

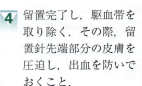
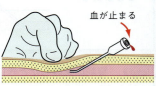

血が止まる

5. ルートへの接続とスムースな滴下を確認した後，テープをハブに回してクロスさせ貼付，さらにフィルムドレッシング材を貼り付けて完了とする．

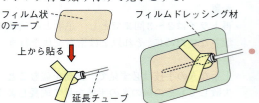

フィルム状のテープ　　　フィルムドレッシング材
上から貼る
延長チューブ

- 手技終了後にこの部分を引くと，簡単にはずれるように意識して，駆血帯でしばる（駆血する）．

ここでの"血管選び"が成功の第一歩
- 原則として外傷・熱傷・感染のない部位を選択．
- 意識清明なら利き腕は避ける．
- 歩行可能なら下肢は避ける．
- 乳房切除術後の患側上肢は浮腫になりやすいため，避ける．麻痺側やシャント側も避ける．末期腎不全患者で内シャント未作製の場合は，できるだけ橈側皮静脈は避ける（手背静脈は可）．
- 肘関節近傍は正中神経損傷の可能性あるため注意．
- 直線よりも合流部を使用すると血管が逃げにくい．
- 見えないときは軽くタッピングしたり，タオルやカイロなどで温めたりすると静脈が拡張し，発見が容易になる．（☞ p.100 Memo を参照）

- 穿刺は一息に！ ゆっくりでは静脈は逃げてしまう．
- まったくの反対方向でなく少し斜めに伸展することで指先が邪魔にならず，静脈もつぶれないようになる．
- 皮膚近傍には感覚受容体が密なため，素早い穿刺の方が疼痛は緩和できる．痛みを嫌う患者ならリドカイン貼付剤を30分前より使用する裏ワザもある．

- 逆流確認から寝かして1〜2mm進めるのは内筒と外筒の長さを考慮してのもの．確実な留置を目指すうえで大切．

- 滴下し始めてから挿入部が腫大するときは輸液ボトルを留置針より下へ降ろし，ルート内への逆流を確認する（逆流を認めないなら血管外と考え，抜針とする）．

11 中心静脈カテーテル挿入

Central venous catheterization (CVC)

近年，中心静脈穿刺はエコーガイド下でのリアルタイム穿刺が主流となっているが，緊急時など，これまで行われてきた landmark technique が必要な状況も一定ある．ここでは，まずエコーガイド下穿刺について解説し，続いて landmark technique (☞ p. 126) や PICC (peripherally inserted central catheter) (☞ p. 132) についても触れることとする．

適応
- TPN (total parenteral nutrition)
- 末梢静脈路確保困難な場合
- 血管作動薬，抗がん剤などを投与する場合
- 血液透析など vascular access catheter 挿入
- temporary pacemaker 挿入
- Swan-Ganz catheter 挿入
- CVP (central venous pressure) 測定
- IVC filter 挿入……など

穿刺部位
- 内頸静脈，鎖骨下静脈，大腿静脈など．

相対禁忌
- 出血傾向，血小板減少症
- 呼吸不全，人工呼吸器管理中の患者への鎖骨下静脈穿刺．
- 安静が保てない場合．

患者説明のポイント
- 合併症 (☞ p. 138「合併症と対策」を参照) のリスクをおかしてまでも，CVC が必要な理由をわかりやすく説明する．

● 準備物

- [ ] 中心静脈カテーテルキット（①各施設によって採用が異なるため事前に確認しておくこと）
- [ ] 消毒薬（②クロルヘキシジンアルコール溶液）
- [ ] 局所麻酔薬（③キシロカイン®注ポリアンプ1％）
- [ ] 滅菌手袋　☐ 滅菌ガウン　☐ 滅菌ガーゼ（④）
- [ ] 穴あきドレープ（⑤）　☐ 固定具（⑥）
- [ ] エコー　☐ エコーカバー（⑦）
- [ ] モニター　☐ 同意書

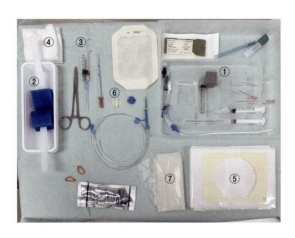

> **Memo　カテーテルキットの選択**
>
> - カテーテルキットには外筒針で直接血管を穿刺しカテーテルを挿入するもの（ピールオフタイプ）と，ガイドワイヤーを用いて挿入するもの（セルジンガータイプ）がある．
> - ピールオフタイプのものは動脈誤穿刺時の止血が困難，肺誤穿刺時に重篤な気胸を合併，カテーテル本体より大口径のため空気塞栓の危険性が高い，などの理由により，現在ではセルジンガータイプのものが主流となっている．

●処置開始前の準備

- 穿刺する血管の走行(深さ,動脈との位置関係)を超音波で確認し,安全に穿刺できる箇所にマーキング.
- 使用する中心静脈カテーテルキットの確認(single/double/triple lumen)
- 心電図モニター,パルスオキシメーター装着.
- 処置前にアルコール系消毒薬などで手指衛生を実施.
- 消毒薬(クロルヘキシジン,ポビドンヨード)に対するアレルギーの有無を確認.

▼ 手 順

1 マキシマルバリアプレコーション
(滅菌ガウン,滅菌手袋,帽子,マスク,ゴーグル)

2 中心静脈カテーテルキットを開け,生理食塩水,局所麻酔薬,消毒薬などを準備.

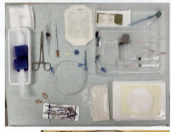

3 穿刺部周囲をできるだけ広く消毒.

消毒範囲

- 実際に手技を行う前に，各施設で採用されている中心静脈カテーテルキット，シミュレーターを用いて何度もシミュレーションすることが大事．
  Simulate many!
- 上級医・指導医が手技を行っているときには必ず見学し，ワザを盗むように心がけること．
- 同期の研修医が手技を行っているときも必ず見学すること（自分自身の手技を客観的に評価できる場であり，上級医・指導医とどこが違うのかがわかる）．

- 感染のリスクを減らすため，lumen数は必要最小限にする．

- 先に手袋をはめると，キャップ，マスクを装着する際に不潔となるので，マスク，キャップ，ゴーグル→手袋→ガウンの順に装着する．
  （手術室など事前に十分な手指消毒が可能な状況では，ガウン→手袋の順に装着する）．

- 空気塞栓のリスクを減らすために，試験穿刺針，本穿刺針，ダイレーター，カテーテル本体の内腔は生理食塩水で満たしておく方がよい．
- また，ガイドワイヤーの操作をスムーズに行えるよう，ガイドワイヤーも生理食塩水に通しておく．

- 消毒薬としては，即時に殺菌力を発揮し，さらに持続的な抗菌効果を有するクロルヘキシジンが用いられることが多い．
- イソジン®（ポビドンヨード）の殺菌効果は塗布後2〜3分で最大となる点に注意する．
- 目安としては，乾燥するまで待って処置を開始する．
- いずれの消毒薬もアナフィラキシーの報告があり，事前にアレルギーがないことを確認しておくことが重要である．

4 穴あきの滅菌ドレープで覆う.

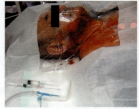
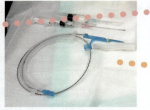

5 局所麻酔

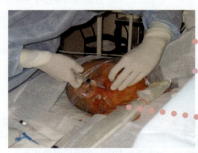

6 試験穿刺
（エコーガイド下リアルタイム穿刺では省略してもよい）

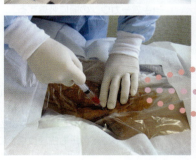

7 逆血が静脈血であることを確認．（エコーガイド下リアルタイム穿刺では省略してもよい）
（☞ p.138「合併症と対策」を参照）

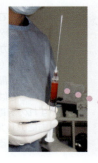

- 患者への声かけを忘れずに行う
- 広い範囲を消毒することで，ドレープの術野の穴がずれても清潔野をキープできる．

- 本穿刺針に持ち変える際，穿刺部位から目線を大きく離さなくてすむように，局所麻酔開始前に視野の中に本穿刺針，ガイドワイヤーを置いておく．

- 局所麻酔薬を注入する前に注射器に陰圧をかけ，血液の逆流がないことを確認する．

- 局所麻酔薬を注入しすぎると，組織の膨隆のために動脈触知が困難となり，また静脈の圧排をもたらす．

- 患者の苦痛を減らすため穿刺部位〜カテーテルを固定する予定の箇所まで広く麻酔する．

- 逆血は針先を進めているときではなく，引いてくるときに確認できることも多い．

- 左指の圧迫が強すぎると静脈を押しつぶしてしまい血液が引けてこなくなる．

- 注射器に軽く陰圧をかけながら穿刺．
- 3回以上穿刺が必要な場合は術者交代が望ましい（深追いすると合併症・感染症のリスクが増すだけ！）．
- 穿刺困難な場合は，基本に戻ることが大切（穿刺角度，方向，深さ）．

- 3回以上の穿刺に伴う合併症の発生率（24.0%）は1回の場合（4.3%）の約6倍である．(*NEJM* 331：1735-1738，1994)

- 過量の酸素が投与されている場合，静脈血でも動脈血と同様の色，血液ガス分析結果を呈することあり．

8 本穿刺
（☞ p.122 穿刺部位別のアプローチ方法（エコーガイド下リアルタイム穿刺）を参照）
（☞ p.126 穿刺部位別のアプローチ方法（landmark法）を参照）

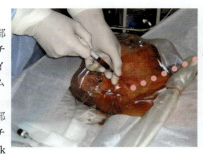

9 本穿刺後，逆血が確認できたら外筒のみを進める．

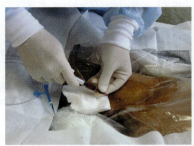

10 内筒を抜き，逆血を確認できたら，ガイドワイヤーを挿入する．

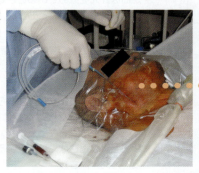

11 ガイドワイヤー挿入後，外筒を抜く．

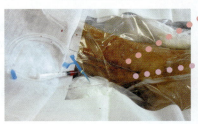

- 試験穿刺と同様の方向にシリンジに陰圧をかけながら穿刺.
- 試験穿刺時より3〜5mm程度深く穿刺(本穿刺針の方が太いので,血管を一旦つきぬけるdouble wall punctureの方がうまくいくことが多い).

Memo

- 以下のように金属針の中をY型アダプターの側孔からガイドワイヤーを挿入する方法もあるが,ガイドワイヤー破断の報告あり.
- ガイドワイヤー挿入時に抵抗あれば,金属針ごと抜去する.ガイドワイヤーのみ抜去すると破断の危険性あり.

Memo

- 穿刺困難例で,ガイドワイヤー挿入時などに本穿刺針の外筒を破損してしまった場合,18G静脈留置針の外筒であればガイドワイヤーが通るので代用もできる.
- または,上記の金属針+Y型アダプターのセットを使用することもできる.

外筒を進める前に,穿刺針を少し寝かせて,血管に対して急峻な角度にならないようにすると血管損傷のリスクを軽減できる.

- ガイドワイヤーが抵抗なく進めば,血管内に留置されている可能性が高い.
- 抵抗がある場合は無理に進めない.血管損傷や外筒破損のリスクが高くなる

- ガイドワイヤーを深く挿入しすぎると先端が心腔内に達し,不整脈を起こすことがある.
- その場合は,すぐにガイドワイヤーを引き戻すことで不整脈が治まることが多い.心電図モニターによるモニタリングは必須である.

12 ガイドワイヤー挿入部位にメスにて小切開を加える．

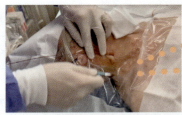

13 ダイレーター挿入

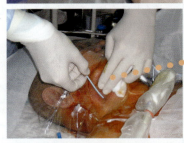

14 ガイドワイヤーのみ残し，ダイレーターを抜去．

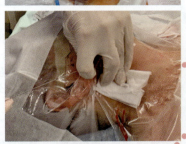

15 カテーテル本体を挿入する．

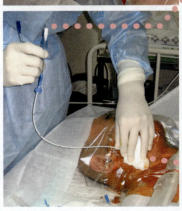

- 尖刃刀で皮膚を切開する場合，引いて切るのではなく，押して切る．

- ガイドワイヤーを傷つけないように，メスの刃の背中の方をガイドワイヤーに沿わせるようにする．

- ガイドワイヤーにダイレーターを通し，血管壁を貫く感覚が得られるまで挿入（深く入れすぎない）．
- ダイレーターは先端より2～3cm離れたところを持ち，ガイドワイヤーに沿わせてグイグイ回転させながら進めると抵抗少なく挿入できる．

- ダイレーターを抜去する際，出血量を減らすため，穿刺部をガーゼで軽く圧迫しながら行う方がよい．

- カテーテルを挿入する際は，カテーテル末端からガイドワイヤーが出ていることを確認してから行う．
（ガイドワイヤーごと血管内に挿入の危険あり） ☞ p.139

Memo　挿入する長さ

体格によってさまざまだが，おおよそ以下のとおり．
- 内頸静脈：約11～15cm
- 鎖骨下静脈：約11～15cm
- 大腿静脈：約30～40cm

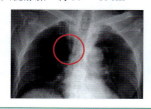

- 左から挿入する場合は，右から挿入する場合よりも中心静脈に到達するまでの距離が長く，2～3cm程度長く挿入する必要がある．

16 逆血があるか確認.

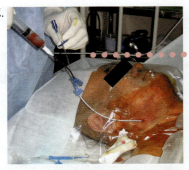

17 縫合固定

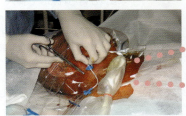

18 覆布を剥がし,ドレッシング材で固定.

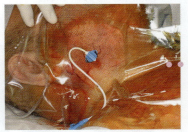

●処置後検査

- バイタルサインのチェック.
- X線撮影でカテーテル先端位置を確認.
- 合併症の評価(内頸静脈・鎖骨下静脈穿刺時の気胸など).

- 逆血確認後は，カテーテル内での血液凝固予防のために生理食塩水（もしくはヘパリン加生食）でロックしておく．

- 縫合に用いる糸は，絹糸よりナイロン糸の方が感染のリスクが少ない．太さは3-0くらいが目安．

- 伴走する動脈の損傷，カテーテル本体の損傷に注意．

- 固定用ハネを使用せずに固定する際，強く締めすぎるとカテーテル内腔を潰してしまうことがある（特にトリプルルーメン）．

- 覆布を剥がす際に慌てると，カテーテルに引っ掛けてカテーテルが抜けてしまうこともあるので，最後まで慎重に．

エコーガイド下リアルタイム穿刺

- エコーを用いてリアルタイムに血管を穿刺する方法は一度目の穿刺で成功する可能性が高く，穿刺回数も減り，カテーテル留置の失敗率を低下させ，穿刺における機械的合併症も減ることが報告されている．

穿刺のコツ
血管描出

- まずは，sweep scan technique，swing scan techniqueにて血管の走行をしっかり捉えることが重要である．
- sweep scan technique

    箒を掃くようにプローブを平行に移動させ，目的の血管がエコー画面中央に描出できる範囲を確認する．

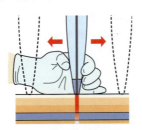

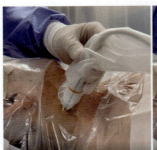
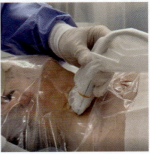

- swing scan technique

　sweep scanで捉えた範囲の中で，プローブをswingしても目的の血管がエコー画面中央に描出できる箇所を探し，その点を穿刺点とする．

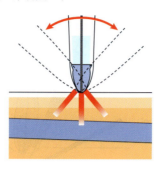

■ 穿刺角度

- landmark法では穿刺角度は皮膚に対して30°程度で行う場合が多いが，エコーガイド下リアルタイム穿刺の場合は60°以上で穿刺しないと穿刺針が画面上に描出されず，深さ・方向を誤ってしまう危険性がある．

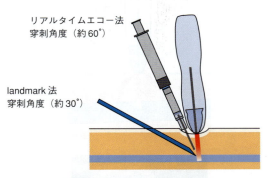

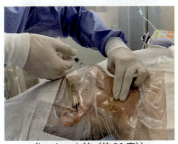

《landmark法（約30度）》

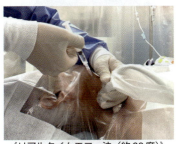

《リアルタイムエコー法（約60度）》

■プローブと穿刺針の軸

- プローブと穿刺針の軸を一致させないと穿刺針の先端を見失い，深さ・方向を誤ってしまう危険性がある．

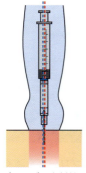

プローブと穿刺針の軸が一致

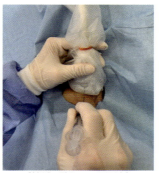

《軸が一致している写真》

プローブと穿刺針の軸が一致していない

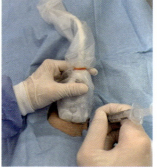

《軸が一致していない写真》

■ 一人法と二人法

- 一人法の場合，プローブを術者の感覚で微調整できストレスなく穿刺できるが，エコー画面に気を取られすぎて深さを誤ることがある．

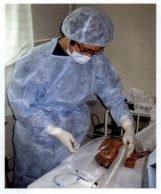

- 二人法の場合，術者は穿刺に集中できるが，エコー介助者がプローブを強く当ててしまうと血管が圧排されてしまい穿刺困難となることがある（エコー介助者の技術に左右される）．

■ 穿刺方法

- 穿刺針を皮下組織に刺入する際，キツツキのように針先を小刻みに前後に動かしながら（jabbing motion）少しずつ進入させることで，皮下組織の動きから刺入方向を確認することができる．

- 超音波の走査線上に針先が近づくと乱反射により先端位置が確認できる．

> **Point** ● 穿刺針の先端を見失わないことが重要！

- 針先が血管に触れると，前壁に凹みができる．ここまできたらスナップを利かせて一気に血管を貫く．

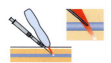

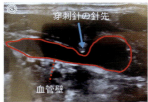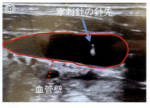

- 穿刺後，逆血を確認できたら，血管に対して急峻な角度とならないよう穿刺針を皮膚に対して20〜30°の角度まで倒し，ガイドワイヤーを挿入する．
- エコーにてガイドワイヤーが目的の血管内に挿入されていることを確認．

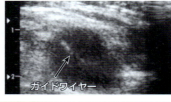

- エコーガイド下で穿刺する場合，穿刺角度や軸が正しくても皮下組織の動きにつられて穿刺針の針先を画面上見失うことがある．その場合は先に穿刺部位にメスで皮膚切開を置いてから穿刺すると皮膚の抵抗がなくなり良好に描出できるようになる．

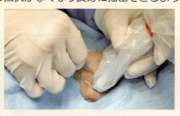

- landmark法の経験のない研修医にとっては穿刺時に深さを誤りやすく，この点に最も注意すべきである．シミュレーターを用いて何度もシミュレーションすることが大事． ***Simulate many!***

各穿刺部位別のアプローチ方法
（エコーガイド下リアルタイム穿刺）

エコーガイド下リアルタイム穿刺では，手順 **6**，**7**（☞ p. 108）は省略してもよい．

■ 内頸静脈穿刺

▶ エコーで内頸静脈を描出し，総頸動脈との位置関係を確認する（短軸像，長軸像）．

通常は，内頸静脈は総頸動脈より外側・浅部に位置する．実際に穿刺する際は短軸像で描出することが多い．

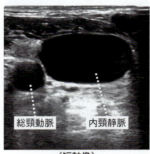

《短軸像》　　　　　　　　　《長軸像》

- 総頸動脈と内頸静脈との位置関係を確認し，動脈誤穿刺しないように皮膚の穿刺位置を決める．

▶ ガイドワイヤーが血管内に挿入されたことを確認する（短軸像，長軸像）．

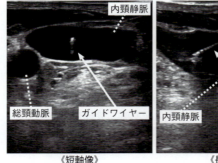

《短軸像》　　　　　　　　　《長軸像》

■ 鎖骨下静脈（腋窩静脈）穿刺
▶ エコーで鎖骨下静脈（～腋窩静脈）を描出し，鎖骨下動脈との位置関係を確認する（短軸像・長軸像）．

> **Point**
> - 通常は，鎖骨下動脈が鎖骨下静脈より深部・頭側に位置する．
> - エコーガイド下リアルタイム穿刺（特に長軸像での穿刺）の場合，実際に穿刺する位置は鎖骨下静脈ではなく腋窩静脈となる．

> **Point**
> - 短軸像で穿刺する場合は，動脈誤穿刺のリスクは少ないが深さを誤る可能性があるため，気胸合併のリスクが高くなることに注意する．
> - 長軸像で穿刺する場合，深さを誤るリスクは少なく気胸合併のリスクは少ないが，穿刺する際に軸がずれると動脈誤穿刺のリスクが高くなることに注意．

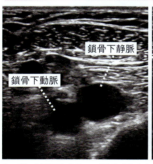
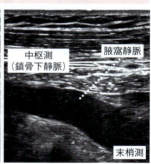

▶ ガイドワイヤーが血管内に挿入されたことを確認する（短軸像，長軸像）．

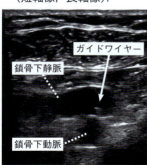
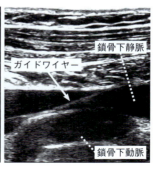

■ 大腿静脈穿刺
▶ エコーで大腿静脈を描出し，大腿動脈との位置関係を確認する（短軸像，長軸像）.

- 通常，大腿静脈は大腿動脈より内側・深部に位置する.
- 実際に穿刺する際は短軸像で描出することが多い.

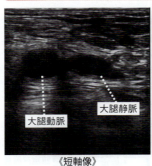
《短軸像》

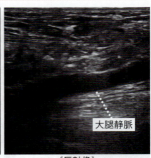
《長軸像》

- 大腿動脈と大腿静脈との位置関係を確認し，動脈誤穿刺しないように皮膚の穿刺位置を決める.

▶ ガイドワイヤーが血管内に挿入されたことを確認する（短軸像，長軸像）.

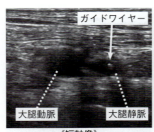
《短軸像》

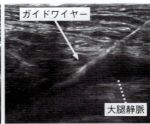
《長軸像》

両利きで

本書では，右利きの術者が患者の右半身の血管にアプローチする紹介となっている．一方で，患者の左半身の血管にアプローチする場面もいずれ遭遇するであろう．

基本的な注意事項は変わることはないが，難易度は少なからず上がる．自身の身体を捻りながら行う／患者右側から血管の走行をイメージし針先の向きを注意して行う／利き手でない左手で同じように穿刺手技を行う，等々の工夫が挙げられる．

いずれのやり方でも安全に施行できればよいが，左手を右手同様に使えるようにしておくことは他の場面での汎用性もあり，筆者はこの方法をお勧めする．

少なくとも外科系を志望する研修医については，早めから左手で字を書く／箸を使うなどの修練を積んでおくことをお勧めする．

基本が大事

本章の手順の流れ（本穿刺→ガイドワイヤー→ダイレーター→カテーテル本体）は様々なブラッドアクセスにおいて共通となるものである．

扱えると格好よすぎると思えてしまうECMOなどにおいても，その管理はさておき，挿入手技の観点では同じなのである．難易度の高い外科手術などでも，縫合，糸結びなど基本手技の積み重ね・その精度の追求の上に成り立っているものである．基本を確実にマスターしていくことが，実はスーパードクターへの一番の近道なのである．

穿刺部位別のアプローチ方法（landmark法）

■ 内頸静脈穿刺
▶ 解剖

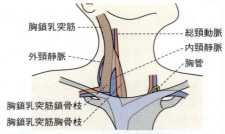

▶ 超音波画像

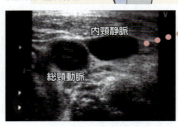

▶ 体位
- 可能ならショック体位（下肢挙上位）にし，頭部を穿刺側と反対側にわずかに傾ける．

▶ 穿刺部位

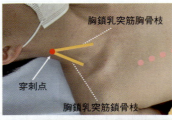

▶ 穿刺

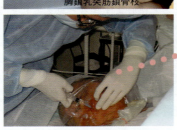

利点
- 気胸や感染症などの合併症が比較的少ない.
- 動脈誤穿刺時にも圧迫止血しやすい.

欠点
- 首の運動が制限される.

- **解剖学的 anomaly（頸動脈より内側にある場合）がある. 右内頸静脈で約10%, 左内頸静脈で約20%.** (*NEJM* 357：943, 2007)

- 内頸動脈を強く圧迫しすぎると, 頸動脈洞症候群をきたし, 失神する危険性がある. **→エコーでの確認が大事!**

- 総頸動脈の外側に内頸静脈を確認し, 皮膚からの深さを覚えておく. また, 呼吸性変動による血管径の変化もチェックしておく.

- 心不全の患者では前負荷を増加させ, 症状を増悪させる危険性があるので禁忌.

- 頭部を傾けすぎると静脈が圧迫され穿刺が難しくなることがある.
- エコーでの確認後に頭の傾きを変えると動脈との位置関係も変わるため患者にも協力を声かけする.

- 胸鎖乳突筋胸骨枝と鎖骨枝の分岐点（小鎖骨上窩）を目安とし, 同側の乳頭に向けて穿刺（**三角上アプローチ**）. わかりづらい場合は, 胸鎖乳突筋胸骨付着部と乳様突起の中間で総頸動脈を触知し, その外側を穿刺（**中頸部アプローチ**）.
- 三角上アプローチの方が穿刺は容易であるが, 中頸部アプローチより気胸のリスクが高い.

- 右内頸静脈穿刺の場合, 左手で総頸動脈を触れながら, その外側を皮膚に対して30～45°程度の角度（エコーガイド下の場合は約60°）で, 右側の乳頭の方向に向けて穿刺.
- 通常, 2cm以内で逆血が確認できる. それ以上進めると気胸のリスクが高くなるため, 3cm以上は進めないこと.
- 動脈誤穿刺を避けるため, 針先は必ず外側に向ける.

■鎖骨下静脈穿刺

- 現在では全例リアルタイムエコーガイド下で行っている施設もある．

▶ 解剖

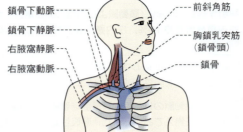

鎖骨下動脈
鎖骨下静脈
右腋窩静脈
右腋窩動脈
前斜角筋
胸鎖乳突筋（鎖骨頭）
鎖骨

▶ 超音波画像

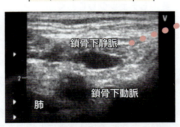

▶ 穿刺部位

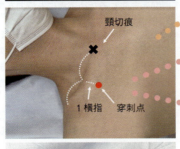

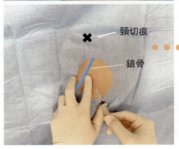

利点
- 感染の合併が少なく，長期留置に適する．
- 運動はじめ動作の防げになりにくい．

欠点
- 気胸や動脈誤穿刺の危険性が高い．

禁忌
- 末期腎不全で内シャント造設予定の患者（鎖骨下静脈が閉塞するとシャント造設できなくなる）．

> **Point**
> - 鎖骨中線上，鎖骨より約1横指足側で穿刺．
> （エコーガイド下穿刺の場合，最も安全にアプローチできる部位で穿刺するため，腋窩静脈穿刺となることが多い）

> **コツ**
> - 親指で大胸筋鎖骨付着部を押さえつけて穿刺針が皮膚に対して急峻な角度とならないようにし，頸切痕に向けて穿刺．

> **Point**
> - 針先をいったん鎖骨に当てた後，鎖骨の裏面をこするように進め，鎖骨の下に潜ったら，さらに針を寝かせて（気胸合併のリスクを軽減するため，皮膚に対して急峻な角度にならないようにする），シリンジに陰圧をかけながら静脈血が返ってくるまで進める．

> **Point**
> - 成人では通常，5〜6cm進めた時点で鎖骨下静脈に達する．

> **コツ**
> - 本穿刺後，ガイドワイヤー挿入時には空気塞栓のリスクを軽減するため，可能なら患者に息こらえをしてもらう．
> - また，内頸静脈への誤挿入を予防するため，頭部を穿刺側に向けてもらう．またガイドワイヤー先端の曲がりが頭側でなく足背を向くようにすすめる．

■大腿静脈穿刺

▶ 解剖

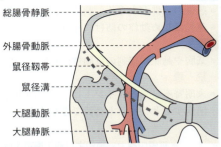

総腸骨静脈
外腸骨動脈
鼠径靱帯
鼠径溝
大腿動脈
大腿静脈

▶ 超音波画像

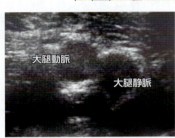

大腿動脈
大腿静脈

▶ 穿刺部位

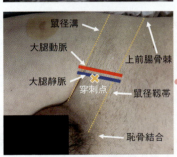

鼠径溝
大腿動脈
大腿静脈
穿刺点
上前腸骨棘
鼠径靱帯
恥骨結合

▶ 穿刺

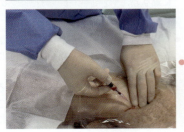

利点
- 挿入時の合併症が少なく，他の部位からの挿入と比べても比較的容易．
- 動脈誤穿刺時の圧迫止血が容易．

欠点
- 長期留置は感染症や血栓症合併の危険性が高く，留置は短期間に留めるべきである．
- 体動が制限される．
- 解剖学的な anomaly が多い．処置開始前に必ずエコーにて静脈の走行，動脈との位置関係・深さなどを確認しておくべきである．

- まず，鼠径靱帯および鼠径溝の位置を確認し，その間で大腿動脈を触れながら，大腿動脈のすぐ内側を皮膚に対して 30～45°の角度で臍方向に向けて穿刺．

- 鼠径溝より末梢側では大腿静脈が大腿動脈の後面に潜り込むため，穿刺が困難となる場合が多い．また，動脈の誤穿刺の場合の圧迫も効きにくくなる．

- 肥満患者では，鼠径溝の位置が確認しづらく，介助者にお腹の肉を引き上げてもらい，できるだけ末梢側から穿刺する方が腹腔内穿刺の危険性は低くなる．

PICC（肘部皮静脈穿刺）

肘部皮静脈からの中心静脈カテーテル挿入には，PICC（peripherally inserted central catherter）が一般的に用いられている．

橈側皮静脈を穿刺すると，鎖骨下静脈との合流部で筋膜を貫通し角度も急峻となるためカテーテルが進みにくくなる．一般的には尺側皮静脈を穿刺する．

利点
- 挿入時の合併症が少なく，感染症合併率も鎖骨下静脈穿刺の場合と同等に低い．

欠点
- 高齢者などでは穿刺に十分な太さの肘部皮静脈がないこともよくある．
- 内径が細く十分な流量が得られないことがある．

準備物
- [ ] PICCキット　□ 消毒薬　□ 滅菌穴あきドレープ
- [ ] フラッシュ用の生理食塩水（もしくはヘパリン加生食）
- [ ] 固定用のテープ　□ ドレッシング材
- [ ] エコープローベカバー（必要時）

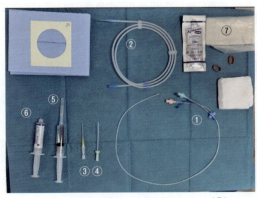

カテーテル本体（①）　　ガイドワイヤー（②）
穿刺針（③）　　　　　　ダイレーター（④）
局所麻酔薬（⑤）　ヘパリン加生理食塩水（⑥）
（必要時）エコープローベカバー（⑦）

手順

0 可能なら透視室で透視下に手技を行う．

1 上腕を外旋外転位とし，近位測に駆血帯を締めずに巻き，消毒する．

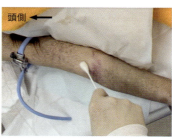

2 介助者に駆血してもらい，滅菌ドレープで覆う．

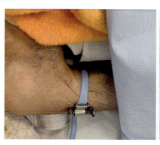

3 局所麻酔

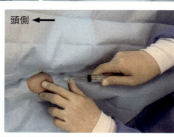

> **Point**
> - 駆血しても拡張不十分な血管の場合，先に局所麻酔薬を注射することで穿刺する血管が虚脱してしまうこともあるため，この時点では必須ではない．その場合，先に穿刺し，ガイドワイヤーを挿入してから局所麻酔薬を注射するとよい．

4 穿刺

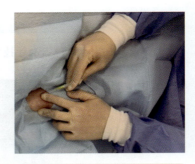

> **コツ**
> ● 橈側皮静脈より尺側皮静脈の方がガイドワイヤー・カテーテルを挿入する際，抵抗なく進む．

5 逆血確認

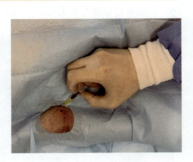

6 ガイドワイヤー挿入

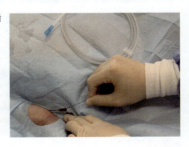

7 X線透視（もしくはポータブルX線撮影）でガイドワイヤー（赤点線）の走行を確認.

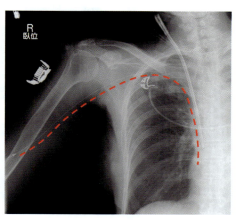

Point
- ガイドワイヤー（赤点線）が内頸静脈に迷入することがあるため，透視下での処置を推奨．

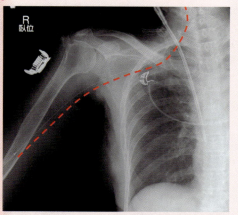

《透析用ダブルルーメンカテーテルからPICCに入れ替える際にGWが内頸静脈方向に走行した例》

8 ダイレーター挿入

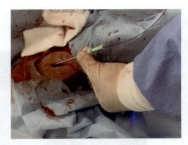

9 カテーテル挿入

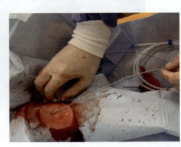

10 ガイドワイヤーを抜去し，X線透視（もしくはポータブルX線撮影）でカテーテル先端位置を確認．挿入長の目安は40cm前後．

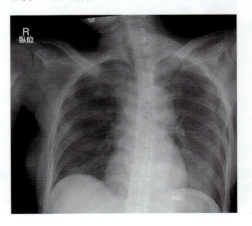

11 逆血確認

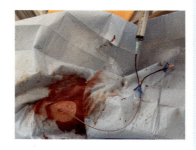

12 皮膚に固定し，ドレッシング材で被覆

頭側 ←

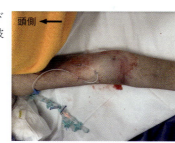

●処置後検査
- X線撮影にてカテーテル先端が中心静脈に留置されていることを確認する．

- 持続点滴で使用しない場合は，高頻度に血栓形成するため，ヘパリンロックが必要である．
- 長期留置に伴い，皮膚固定部で破損（断裂）する可能性があるため，慎重に観察する． ☞ p.141

● 合併症と対策

■ 早期合併症(カテーテル挿入時〜翌日)

①動脈穿刺・血腫
- **予防**
  - 超音波にて走行を確認する.ダイレーター挿入前に気づくようにする.
  - 静脈血と動脈血の区別は,**色調,血液ガス分析,拍動の有無**などで行う.
- **対処法**
  - 動脈誤穿刺した場合は最低5〜10分程度は圧迫止血する.

②気胸
- **予防**
  - 処置前の超音波検査にて安全に穿刺できる深さを確認しておく.処置後にX線撮影で確認する(翌日になって初めて確認できることもある).
- **対処法**
  - 胸腔ドレナージ(陽圧換気時は必ず行う)や酸素投与.

③血胸・心タンポナーデ
- **予防**
  - 動脈誤穿刺しないように注意する.ガイドワイヤーは深く挿入しない.
- **対処法**
  - いずれもドレナージ,外科的処置が必要になることがある.

④空気塞栓
- **予防**
  - 自発呼吸のある患者では呼気時に,人工呼吸管理下の患者では吸気時にカテーテルを挿入する.手技中は開口部を指で塞いでおく.
- **対処法**
  - まずは,頭低位・左側臥位とし,酸素投与する.

⑤不整脈
- **予防**
  - ガイドワイヤーやカテーテル本体を必要以上に深く挿入しない.
- **対処法**
  - ガイドワイヤー,カテーテル本体を不整脈が起こらないところまで引き抜く.

⑥ガイドワイヤーの血管内迷入

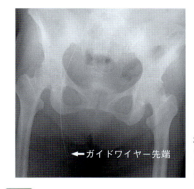

←ガイドワイヤー先端

右内頸静脈からアプローチした際に,ガイドワイヤーが右大腿静脈に迷入したもの

(予防) ● カテーテル挿入時に,カテーテル末端からガイドワイヤーが出ていることを必ず確認する.

(対処法) ● スネアカテーテルを用いて画像下治療(IVR)で回収する.
IVRでの回収が困難な場合は外科的回収となる.

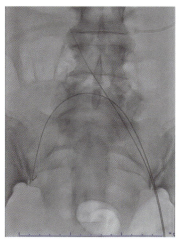

スネアカテーテルでガイドワイヤーを把持しシース内に回収

■遅発性合併症(2日目以降)

①気胸・血胸
- 穿刺時に気づかなくても数日後に判明することもある.
- 呼吸苦などの症状があれば必ずX線撮影で確認する.

②感染症(カテーテル関連血流感染症:CRBSI)
- (予防) 穿刺時にマキシマムバリアプレコーションを遵守する.挿入後の管理の際には速乾式アルコールジェルを用いて手指衛生を行う.
- (対処法) カテーテル感染が疑わしい場合は血液培養2セット提出し,他の感染源の検索,各種培養検査を依頼する.カテーテルは抜去し,先端培養も提出する(先端培養のみではcontaminationとの区別が困難であり,血培を提出することが重要).

※菌種によってはカテーテル温存可能な場合がある.

③血栓形成
- 発生頻度は 大腿静脈>内頸静脈>鎖骨下静脈 の順である.
- (予防) 可能なら,鎖骨下静脈からカテーテルを挿入する.
- (対処法) 即時抜去はしない.(抜去による血栓塞栓症の危険)CVC周囲の血栓への対応としてヘパリンで全身の抗凝固療法を行うことが多い.

■穿刺部位別合併症発生率

合併症	部位別発生率(%)		
	内頸静脈	鎖骨下静脈	大腿静脈
動脈穿刺	6.3~9.4	3.1~4.9	9.0~15.0
血腫	<0.1~0.2	1.2~2.1	3.8~4.4
血胸	報告なし	0.4~0.6	報告なし
気胸	<0.1~0.2	1.5~3.1	報告なし
全体	6.3~11.8	6.2~10.7	12.8~19.4

(*NEJM* **348**:1123-1133, 2003)

④カテーテルの断裂による血管内迷入

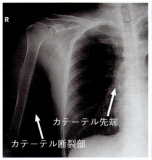
（発見時）

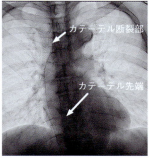
（1時間後）

- 予防
  - PICCの長期留置に伴いカテーテルの皮膚固定部で摩耗による破損（断裂）が起こることがあるため，日々注意して観察する．
  - 断裂したカテーテルは短時間で心腔内まで到達し心タンポナーデ等致死的合併症を来すこともあるため，発見したら早期に治療介入する．
  - PICCの断裂部が上腕に留まっていれば駆血帯等で体表から圧迫することで心腔内への迷入を阻止する．
- 対処法
  - スネアカテーテルを用いて画像下治療（IVR）で回収する．IVRでの回収が困難な場合は外科的回収となる．

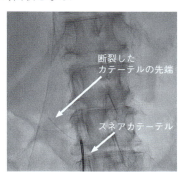

12 採血法

Blood sampling

静脈採血

●目的
- 血算,血液生化学,培養検査,他の血清検査に使用する検体を採取する.

●適応
- 上記の検査が必要な人はすべて適応.
- 出血リスクのある人には施行後の圧迫止血に注意する.

●準備物
- ☐ 注射針(21〜22G程度)もしくは翼状針
- ☐ 注射器(5〜20cc,量に合わせて)
- ☐ 手袋
- ☐ 消毒綿
- ☐ 止血ガーゼ
- ☐ 駆血帯
- ☐ 各種採血管(スピッツ)
- ☐ 針入れボックス

《1患者1トレイ》(例)

■採血時の肢位について

肘からの採血なら,腰掛けてもらい,アームダウンの姿勢をとるようにすることで,採血部位を心臓より下げて,駆血効果を高めることができる.

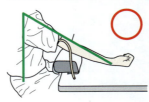
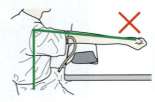

Memo　偶発症とその対応

- 以下の状況には注意を要する.

血管迷走神経反射による失神	安静臥床にて休ませる.
血腫	十分な圧迫. 拡大傾向にないかを経過観察する. ときに以下の神経損傷につながる恐れがある.
神経損傷	しびれが治まるかを経過観察. 多くは数日から数カ月で改善するが, 難治性に移行する例もある.

causalgia（カウサルギー）

穿刺による神経損傷の多くは当日中に消失する症状だが, ときに慢性疼痛（灼熱痛）, 痛覚過敏, アロディニア（触るだけで痛い）, 発赤腫脹などを伴う難治性障害を残すことがある. 上記を causalgia（カウサルギー）もしくは複合性局所疼痛症候群（complex regional pain syndrome：CRPS）と呼ぶ.

治療としては薬物療法, 神経ブロック, 電気刺激療法などが考慮されるが, 症状が長引くときには神経専門医への consult が無難であろう.

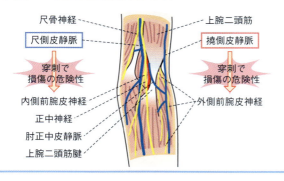

手順

1 穿刺するまでは☞p.100「末梢静脈確保」を参照.

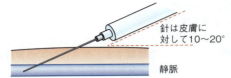

針は皮膚に対して10〜20°
静脈

2 ピストンを引くときには外筒をしっかり固定，外筒の"つば"を支点に引く．

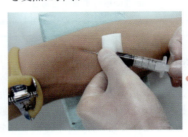

3 必要量採血できたら，駆血帯を解除し，抜針．

4 採血管に分注し，抗凝固薬入りなら転倒混和．

- 準備している採血管と患者名を確認する！
- 翼状針を使用するとシリンジ交換が容易となり，採血量を調節しやすい．
- 駆血時間1分以上になると検査値に影響がでる．
- 点滴している四肢からは採血しない．

- 血管を怒張させるクレンチング運動（手の開閉）は血清K値の偽性高値の原因となるため，採血時の血管怒張には別の方法をとるとよい．
- 20 mL以上のシリンジは採血に時間がかかり，内部で凝固し始めるため，避けた方がよい．

採血に適した血管を見つけるには？
- 血管周辺をたたく．
- 腕を温める．　●腕を下垂させる．
- なるべく弾力のあるものを選ぶ．

- 深く刺入したまま針先を動かすと，血管や神経の損傷リスクが高まるため避けるべき．
- 「いつもより痛い」「しびれる」と言われたら抜針．

- 抜針時に少しシリンジを引きながら抜くことで，血液が垂れてこない．

- 止血には乾綿か，よく絞った消毒綿を折り曲げ，軽く当てる．止血専用のガーゼなども可．
- テープ類は皮膚過敏性を患者に確認．
- 止血は5分程度必要．出血リスクに合わせて調節．
- 揉まないことを患者に説明する．

- 透析患者のシャントからは採血しない．
- 必ず駆血帯を外して抜針する．逆だと血の海に！
- 絶対にリキャップしない．針刺し事故の最大原因！

- 凝固，血沈などは採血量が検査値に影響しやすいため，指定された量を必ず入れるようにする．
- 抗凝固薬入りのものを先に分注（生化学は最後）．
- 2回失敗したら，術者を交代するのが無難．

▼ 分注ホルダー 手順

1 シリンジ先に分注ホルダーをとりつける．

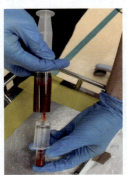

2 シリンジを下向きにして真空採血管をまっすぐ差しこむ．

3 必要量をとれたら素早く抜く．

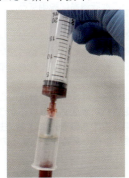

- シリンジから注射針を外す際には針刺しに注意.
  ※分注ホルダーを使用することで従来の操作での針刺しのリスクを低減できる.

- 多スピッツの必要採血量をあらかじめ把握し，順番を決める．シリンジからの分注する場合，1番目には抗凝固剤入りスピッツが選ばれることが多い．

- 入れる時も抜く時も"まっすぐ"操作する．強すぎたり，ひねったりすると破損のリスクあり．
- 横向きで使用すると，一旦採血管内に入った血液が逆流することがある．

- 抗凝固剤入りスピッツは素早く混和する．
- 使用し終えたらシリンジ＋分注器を適切に廃棄する．間違っても分注器の中に指を入れたりしない（針刺しとなる）．

動脈採血

●目的
- 血液ガス分析用の動脈血を採取する．
- 血液培養，その他静脈採血が困難なとき．

●準備物
- [ ] 注射針（22～25 G．ショートベベルが望ましい）
- [ ] 動脈血サンプラー
- [ ] 手袋
- [ ] 消毒綿
- [ ] 止血ガーゼ
- [ ] 針入れ
- [ ] 止血用絆創膏

禁忌
- 出血傾向が著しい人へは慎重施行．
- 虚血が著しい部位（例：ASO）
- 人工血管

■採血部位

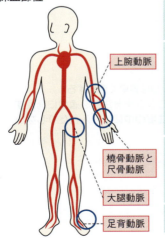

上腕動脈	比較的太いが，穿刺も止血も困難な時あり．神経損傷の危険性も大．
橈骨動脈	アプローチが容易で止血も容易だが，細く，疼痛も強い．アレンテスト陽性（☞ p.155）なら末梢動脈路が二重にあるとされ，より安全．
大腿動脈	太く，穿刺も容易．疼痛も比較的軽い．しかし，側副路が十分でなく，塞栓リスク，感染リスクは高い．
足背動脈	アプローチが容易だが，細い．

- サンプラー内にはヘパリンが入っており，採血後よく振って混和する．
- 凝固系スピッツ内に動脈血サンプラー内のヘパリンが混入すると正確な検査結果が得られないので，凝固系との同時採血は避けるべきである．
- 三方活栓もしくは分注ホルダーを用いて分注する場合は，凝固系スピッツに先に分注する（動脈血サンプラーへの分注は後）．

Memo　動脈穿刺の穿刺部位の選択基準

- 穿刺部位の選択には以下の事項を考慮する．

塞栓症のリスク評価	穿刺部位より末梢の動脈血流が確保されるか？
アプローチのしやすさ	適切な体位は？ 穿刺が技術的に可能か？
周辺組織の状態	動脈の固定性，近傍組織傷害の危険性は？
局所の状態	感染・外傷はないか？

Memo　シリンジ内の気泡の影響

- 大気中には人間の体の血液より多量の酸素と，ごく少量の二酸化炭素を含んでいるため，PaO_2を高め，$PaCO_2$を低める働きとなる．
- 測定値の誤差は気泡の量が多いほど，測定までの時間が長いほど，低温であるほど，大きくなる傾向にある．
- 誤差の原因となる気泡はなるべく含まないようにするのが正確な検査値を得るために必須である．

▼ 大腿動脈穿刺 手順

0 人工血管が留置されていないか，問診や胸腹部を含む体表の手術痕の有無で確認する．

1 仰臥位で下肢を軽度外転位とし，入念に消毒．

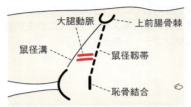

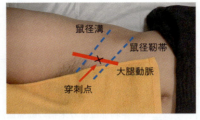

2 人差し指と中指で挟む（①），あるいは両指で触知（②）する．

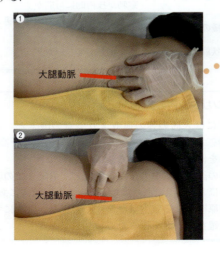

- 入念に触診し，動脈が最も強く触れる位置（尾根）を同定することが，非常に大切．
- 鼠径部は易感染性のため，念入りに消毒する．
- 鼠径靱帯をはじめ，解剖構造をイメージする．
- 痛みは橈骨動脈穿刺より弱いが，患者にとっては不慣れな穿刺位置のため，声かけを入念に行う．

Memo "VAN"
- 大腿部の内側より "VAN"（V：静脈，A：動脈，N：神経）の順に走行することを覚えるとよい．

- 鼠径靱帯より中枢側で穿刺すると針先が腹腔内に到達するため，必ず鼠径靱帯より末梢側で穿刺する．

- 血管を挟み込みあるいは走行を捉え，逃がさない．
- 穿刺の瞬間までこの手は動かさないようにする．

3 両指間を垂直に刺入し,拍動→流入を確認する.

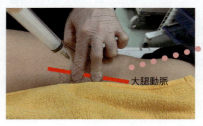

大腿動脈

4 抜針,約5分圧迫止血し,絆創膏を貼る.

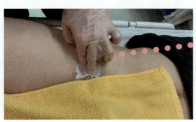

- 穿刺角は60〜90°．固定した指を指標に穿刺．
- 穿刺角が小さいと腹腔内に入りやすく，危険である．
- 動脈は静脈より肉厚で，針先で拍動を感じる．
- 流入する血液の色が赤ければ酸素化している動脈血である可能性高い（ただし病状によりけり）．

途中で流入しなくなっても慌てず少し戻してやると流入してくることが多い（内筒は引かない）．

- 十分な圧迫止血が必要．
- 止血が完全でないと血腫を形成する．

- 同じ部位を何度も穿刺すると仮性動脈瘤となる．
- 出血傾向のある患者，血小板減少や抗凝固薬使用中などなら注意が必要もしくは禁忌となりうる．
- 分析までに時間をかけすぎるとシリンジ内で代謝が進み，PaO_2低下と$PaCO_2$上昇が進む．
- 人工血管はけっして穿刺してはいけない．

穿刺は「とりあえず」右大腿からでいいですか？

救急外来では流れ作業的に自身が慣れた右側から行うことが多くなる．しかし，本当にそれでよいだろうかと自問しよう．その後に心カテや脳アンギオなどはないだろうか？　各科医師がこれら処置をする際に不便をかけないだろうか？　今後の処置のながれを想像できるようになると一人前である．

橈骨動脈穿刺 手順

1 枕となるようなものを置いて手関節を30°伸展し,固定させる.

2 利き手と反対側の指の先端で動脈を触知する.

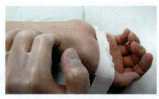

3 ペンを握るように構え,約45°にて穿刺.

4 自動的に血液流入.必要量にて抜針→圧迫.

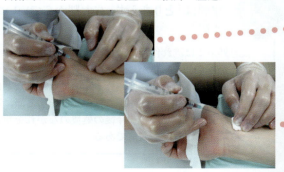

> **Memo** modified Allen test（アレンテスト）

橈骨動脈血行が途絶した際に尺骨動脈からの側副血行の有無を確認するテスト．この結果のみではすべての虚血の発生の有無を予測するのは困難だが，ベッドサイドで簡便に施行できる指標として知っておく

（参考）5秒の血流中断でのcut-offならば，感度75.8％，特異度81.7％である．（*Ann Thorac Surg* **70**：1362-1365, 2000）

穿刺予定の橈骨動脈を手首部分で，橈骨動脈と尺骨動脈を同時に強く圧迫して手の血流を遮断する．

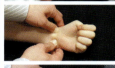
被検者に手のグー，パーを数回繰り返してもらう．

術者の手がしっかりと，橈骨動脈と尺骨動脈を遮断していれば，被検者の手は蒼白になる．

尺骨動脈の圧迫のみを解除すると，被検者の手掌は速やかに（10秒以内）赤みが回復．尺骨動脈から親指まで，動脈のループ形成があり，Allen test陽性と判断する．

- 指先で触れる走行をイメージ．
- 触れている示指の5～10mm手前から穿刺する．
- ベベルは上を向けて使い，示指直下の動脈を狙う．

- 予定の血液を採取したら，圧迫開始とともに抜針．
- 皮膚の刺入部ではなく，実際に動脈を貫いた位置を圧迫し，血流を遮断するのではなく，やや血圧より強い程度の圧迫を行う（3～5分）．
- 圧迫解除時に止血を確認．血腫の増大を確認．

- 非常に繊細な手技であり，施行時の体位は大切．いい加減な体位ではなく，きちんと準備をして安定した体位を確保することこそ，成功の第一歩である．

真空管採血の注意点

　真空管採血は，多くの種類の検体を同時に採血する際に操作を簡便にする点では有用だが，「逆流圧の発生」という問題がある．

　これは，採血管内に血液が流入している最中に駆血帯を緩めることで，本来の「血管内圧＞採血管内圧」の関係が逆転し，「血管内圧＜採血管内圧」となることで，一度採血管に入った血液などが逆流していく現象である（他に，採血管の温度変化や圧迫でも発生報告あり）．

　逆流の発生は以下の物質を体内に取り込む危険性がある．
　①真空管内に入っている薬剤
　②真空管内の細菌など（滅菌されていない場合）
　③ゴムキャップ部分や穿刺針のゴムチップに付着した常在菌
　④前被採血者の血液（ホルダーが交換されていない場合）

　よって，対策としては採血中に駆血帯を緩めないことや，なるべくアームダウンとすること（採血管内の穿刺針と血液の接触を防ぐ），採血管の無菌・滅菌化，ホルダーの患者ごとの交換（ディスポ化）が推奨されている．

　特に用具関連は，施設として対策を徹底していく必要があるため，自分の施設での状況・指針をあらかじめ知っておく必要がある．

局所麻酔について

　動脈穿刺では適宜局所麻酔が施行されることがある．大腿動脈穿刺ではそれほど疼痛はないが，橈骨動脈穿刺ではかなりの疼痛を伴うためである．局所麻酔を行うことで，患者の苦痛を最小限とし，さらに呼吸数の変動を抑えることで，より正確な検査結果を得ることもできる．また動脈の攣縮を抑えることもできる．
　薬品としてはエピネフリンを含まない1％リドカインが頻用される．当然，使用前には薬剤アレルギーについて聴取すべきである．

貼付用局所麻酔剤

　静脈留置針穿刺時の疼痛緩和目的に貼付剤タイプの局所麻酔があることを知っておくのもよいかもしれない．しかし，静脈留置針穿刺予定部位に約30分間貼付するとの用法になっており，静脈路確保に迅速性が求められる場面では使用されることはない．血液透析穿刺前に（すでに決まっている）穿刺部に貼付することが主な使用場面である．

動脈圧ライン(Aライン)挿入手技

● 適応
- 頻回に動脈採血が必要な場合.
- 持続的な血圧モニタリングが必要な場合(動脈圧波形を解析することで心拍出量の計測も可能).
- 熱傷や外傷などでマンシェットによる血圧測定ができない場合.

● 留置部位
- 橈骨動脈,大腿動脈,足背動脈,上腕動脈など

禁忌
- 閉塞性動脈硬化症,内シャント肢など

● 合併症
- 出血,血腫形成,感染,空気塞栓,虚血,血管閉塞,仮性動脈瘤,動静脈瘻,末梢神経障害,テープ固定による皮膚障害など

● 準備物品

<穿刺関連>
- ☐ 手首を背屈させるための枕・タオル等
- ☐ 処置用シーツ   ☐ 固定用テープ   ☐ シーネ
- ☐ 滅菌手袋,マスク,ビニールエプロン
- ☐ 消毒薬(クロルヘキシジン,ポビドンヨードなど)
- ☐ 滅菌覆布(穴あき)   ☐ 血管内留置針(24~20G)
- ☐ 局所麻酔薬(キシロカイン®注ポリアンプ1%)+ロック付きシリンジ(5mL)+26G針

<モニタリング関連>
- ☐ 観血的動脈圧モニタリングセット
  (圧トランスデューサー+耐圧ルート)(①)
- ☐ 耐圧延長チューブ(②)
- ☐ ヘパリン加生理食塩水(例:生理食塩水500 mLにヘパリン1,000単位混注)(③)
- ☐ 加圧バック(④)   ☐ トランスデューサーホルダー
- ☐ レーザーポインター(トランスデューサーの高さを決める際に使用)

● 全体像

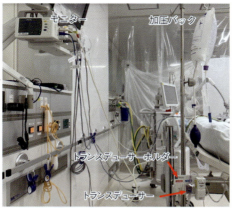

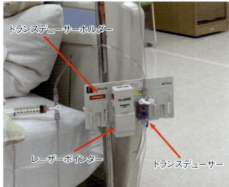

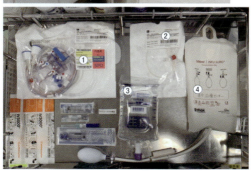

≪準備物≫

▼ 橈骨動脈 手順

1. 患者を仰臥位にし，橈骨動脈が触知可能か確認する．

2. 穿刺部位の下に処置用シーツを敷く．

3. 手関節の下に枕を置き背屈位とする．

4. 動脈触知が良好な角度で，テープ固定する．

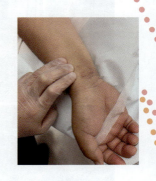

5. 穿刺部位周囲を広く消毒する．

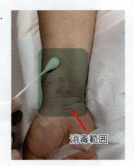

消毒範囲

6. 滅菌手袋を履く．

- 触知困難な場合は他の留置箇所(大腿, 足背, 上腕など)について検討する.
- 困難例ではエコーガイド下で留置することがある(下写真).

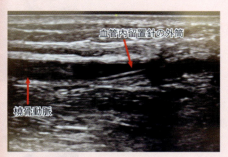

血管内留置針の外筒

橈骨動脈

≪エコーガイド下で留置した血管内留置針の外筒(長軸像)≫

- 動脈であり, 穿刺後後の圧迫が不十分な場面などでは, 多くの血が飛び周囲の布団やタオルケットなどを汚染してしまうケースも多く, 必ずシーツは敷く.

- 上肢全体を頭側あるいは足側へ動かして(患者の脇を開ける・閉じる), 穿刺する際に, 術者自身の身体を捻ったりせず自然な姿勢で行えるような角度に調整したうえで, 本固定を行う.

- テープの固定が強すぎると動脈を潰して触れにくくしてしまうため, ほどほどの強さで固定する.

7 穿刺部を穴あき覆布で覆い，皮下に局所麻酔する．

8 血管内留置針（24-20 G）で動脈を穿刺する．

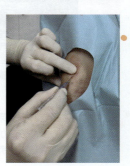

9 逆血が確認できたら外筒を進めて，中枢測の動脈を圧迫しつつ内筒を抜去する．

- 橈骨動脈自体あるいは周囲の細い静脈を刺さない．

- 局所麻酔薬を使用せずに穿刺すると血管攣縮し挿入困難となることがあるため，とくに局所麻酔薬アレルギーのない患者ではしっかり鎮痛することが重要である．
- ただし，局所麻酔薬の注入量が多すぎると動脈触知困難となるため，少量注入し麻酔効果が得られるまで待つ．

- 自身の手前側（患者の手寄り）の皮膚を軽く伸展させながら行うと穿刺しやすい．
- ゆっくり刺そうとすると動脈が逃げることも多く，血管前壁を貫こうとする瞬間は"ピッ"と思い切って刺しきるイメージの方が上手くいくことが多い．

- 内筒と外筒の長さの差を意識して，逆血が確認できた後に，針を少し寝かせながらほんの少しだけ全体を先に進めてから外筒のみを進める．

- 外筒を進める際に抵抗があれば絶対にそのまま強引には進めない．局所の動脈解離を招き得る．

10 外筒と圧トランスデューサー（耐圧チューブ）を接続する．

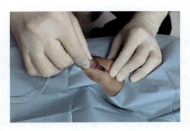

11 逆血を確認しながら，ルート内から空気を抜く．

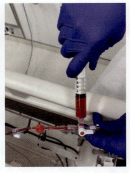

12 接続部をテープで皮膚に固定する．

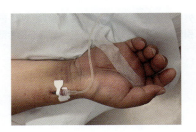

- 接続部に相当する部分周囲に少なからず血が垂れることが多く，この部分に絞ったアルコール綿を敷いておくと周囲の血液汚染を最小限にでき得る．

- 注射器はゆっくり引く．注射器内の空気は指ではじきながら上方に集める．
- 注射器が最初から合体されたタイプであれば，引いた血を戻す．
- 自身で注射器を取り付けるタイプであれば，感染リスクへの配慮から引いた血は注射器ごと破棄する（ただし，小児や高度貧血を伴う患者などでは，引いた血液を戻すこともあるため，施設毎の方針を確認しておく）．
- その後ヘパリンフラッシュを行う．

- テープの固定方法については各施設で様々な工夫があることが多くそれに従う．外筒が抜けない/曲がらない・接続部で皮膚に潰瘍を作らない意識がポイントになる．

13 トランスデューサーをモニターと接続する．

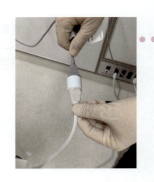

14 トランスデューサーを右心房の高さに合わせて，ゼロ点校正する．

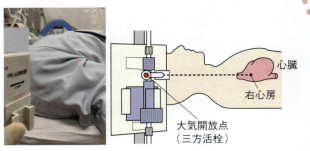

心臓
右心房
大気開放点
（三方活栓）

15 モニターに圧波形が表示されていることを確認する．

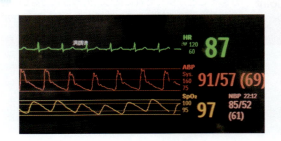

- 逆血良好で確実に手技成功したはずなのにモニターに動脈圧波形が出ない時は，この接続が緩んでいることがあるのでチェックする．

- 胸郭の1/2の高さ，あるいは第4肋間腋窩中線に合わせると右心房の位置になる．
- 圧トランスデューサーを右心房の高さに合わせて（※装置によっては写真のようなレーザーポインターを使用することもあり），三方活栓を大気開放（三方活栓のキャップを外し患者側をOFFに）し，モニターの操作でゼロ点補正を行った後に三方活栓をもとに戻す．

- 大気開放点（三方活栓）とゼロ点位置を同じ高さに合わせることが重要で，この位置がズレると実際とは異なった測定値になる．
（参考：三方活栓の位置が右心房位置より1cm上がると，0.76mmHg低い値が表示される）

Memo

以下の場合にも測定誤差が生まれるため，ゼロ点校正を改めて行う必要が生じる．
- 被検者の体位が変わり，心臓の高さが変わったとき
- 大気開放点の高さを変えたとき
- 長時間の計測，または周囲温度の変化により，計測値の変動が予想されるとき（大気開放時の圧力値でチェックする）

13 腰椎穿刺

Lumbar puncture

●目的
- 髄液を採取し髄膜炎，ギラン・バレー症候群，多発性硬化症，亜急性硬化性脳炎（SSPE）などの診断を行う．

●準備物
- ☐ 22〜23Gのディスポーザブルスパイナル針（細いほうが合併症のリスクが低い） ☐ 三方活栓 ☐ 滅菌手袋
- ☐ 圧測定用マノメーター（検圧管） ☐ 穴あき滅菌ドレープ
- ☐ 23G針 ☐ 1％キシロカイン ☐ 消毒用綿球とイソジン
- ☐ 検体採取用スピッツ（袋から出さない） ☐ 同意書

●合併症
- 頭痛
- 低髄圧症候群
- 硬膜外膿瘍
- 血腫形成 ●神経損傷
- ヘルニアの誘発
- 穿刺部からの感染

《準備物》

禁忌
- 脳圧亢進が疑われる場合（瞳孔反応の変化，人形の目現象消失，除脳硬直・除皮質硬直，異常呼吸，うっ血乳頭，高血圧＋徐脈（クッシング現象），CTにて脳出血，脳腫瘍などの画像が認められた場合）．
- 直近（30分以内）の痙攣や30分以上持続する痙攣，局所性痙攣がある場合．
- 腰部の穿刺部位に感染所見がある場合．
- 穿刺部位の手術歴がある．
- 腰仙部（穿刺部）の奇形（脊髄動静脈奇形も含む），脊髄腫瘍がある場合には注意を要する．
- 出血傾向がある場合は注意を要する（抗血小板薬や抗凝固薬の投与を受けている，肝機能障害，血小板減少など）．

> **Memo** 穿刺部位の選択と体位

　側臥位で頭部を屈曲し膝を胸につけ，腰を後ろに突き出すような姿勢で行う．介助者には背中と腰をしっかり押さえてもらう．またその際，背中がベッドに対して垂直になっていることが肝心．この姿勢をしっかりとれることが成功の条件といっても過言ではない．患者さんには「膝を抱えて腰を突き出すようにしておへそを見てください」と言うとわかりやすい（エビのような姿勢）．後述する穿刺部位が眼の高さになるようにベッドの高さも調整する．

　Jacoby線に第4腰椎の棘突起がある．それを基準にしてL4/5，もしくはその前後を穿刺部位に選ぶ（高齢者の場合，L4/5以下はdry topとなりうる）．消毒後覆いをかぶせると上前腸骨棘やL4の棘突起がわかりにくくなるので，マーキングしておくと穿刺の際に焦らない．

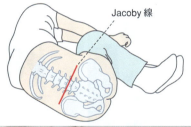

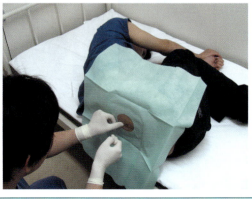

> **Memo** 腰椎穿刺の良い例・悪い例

- 良い例

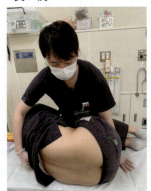

胸膝位が取れている

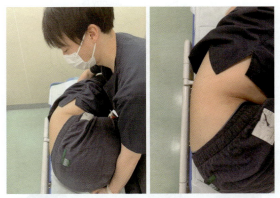

背中がベッドに対して垂直となっている

- 悪い例

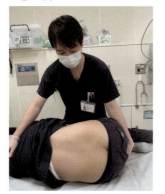

不十分な胸膝位

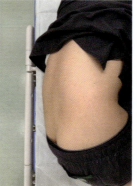

背中がベッドに対して垂直になっていない

▼ 手順

1 マーキング：フェルトペンで腰椎の棘突起の位置をマーキングしておく．

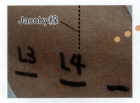

2 消毒はイソジンで行う．この際綿球はよく絞ること．垂直に立った面を消毒するため綿球をよく絞らないと，消毒面の上の方の，より不潔な部分から内側に消毒液が垂れてくる．消毒後滅菌手袋を着用し，清潔な穴あきガーゼを被せる．

1％キシロカインにて局所麻酔（23G針で）を行う．

3 スパイナル針を背中に垂直に穿刺する．針先はやや頭側に向けて徐々に進めていく．3cm程度入ったら浅いかなと思っても，内筒を抜いて髄液の流出を確認する．流出があるまで，内筒を抜いて流出をチェック，再度内筒を入れて針を進めるという作業をこまめに繰り返す．このとき針は2〜3mmずつしか進めない．最終的に4〜5cmの深さで到達することが多い．

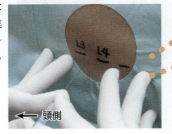

- 前述した体位をまずはしっかりとることが重要．介助者による固定が不十分だと背筋が伸びてきてしまうため，介助者にも体位の重要性を理解してもらうことも成功のカギとなる．
- マーキングは穿刺部位だけでなく，L3，L4など棘突起にもしておくと，穿刺位置を変える際にもスムースにできる．

- 患者は術者が何をするか見えず非常に不安が強い．そのため実際に針を刺すときだけでなく，マーキングの際なども何をするか声かけをすることが大切．

- あらかじめCTやレントゲンを撮影している場合には，画像を参考におよその深さの目安をたてておく．

- 針を刺す際には必ず声かけをする．突然針を刺すと患者は驚き，その後も良好な体位を維持できなくなる場合がある．

- 表面に麻酔をしたら，そのまま針先が棘間靱帯に進んでいくことを確認し，穿刺方向を確認する．このときの針穴が本穿刺の目印にもなる．

- スパイナル針を刺す前にも再度腰を後ろに突き出すよう声かけする．「背中が押されるような感じがしますよ」などと声かけするとよい．針が1cm程度入り，手を放しても落ちないことを確認したら，横からみて背面と針が垂直になっているかどうか確認する．

- 両示指で針を挟み，両母指は針の「おしり」を支える形，他の3指は腰にあて安定感をつくりだす．

- 正中で穿刺成功しなかった場合は，やや頭側に傾けてもう一度トライする．もしくは，穿刺位置を1cm尾側1cm下方に変更して傍正中法とする．

4. 靱帯（棘上靱帯，棘間靱帯，黄色靱帯）を貫くときは抵抗を感じ，そこを越えると抵抗が軽くなるが，実際に硬膜を破った感じがわかる例はむしろ少ないので，感覚を頼りにしてはならず，前述の方法を行っていく．慎重に内筒を抜いて髄液が出てくるのを確認する．

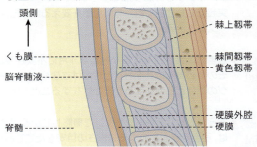

5. 髄液が確認できたら三方活栓をつけ，マノメーター（検圧管）を接続し水柱圧を測定する．その後滴下するようにして髄液を採取し，終圧を測定して穿刺針を抜去する．
すぐにガーゼで穿刺部を覆い固定．

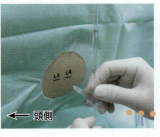

検査項目

- 髄液一般検査（初圧・終圧，細胞数・分類，蛋白，糖・血糖，IgG，Cl，LD，CRP）
- Queckenstedt試験（最近はあまり行わない）
- 沈渣による細菌・真菌・結核菌培養および塗抹染色：グラム染色，墨汁染色，抗酸菌染色
- ラテックス凝集反応（細菌の菌体抗原，クリプトコッカス抗原の判定）
- 細胞診
- ACE，ADA，PCR，腫瘍マーカー（CEA，CA19-9）
- 細菌培養
- 保存検体

●すぐに出てこない場合は外筒を回してみる．出てこない場合は内筒を挿入し，ゆっくり針を進め再度確認を繰り返す．

Memo　髄液が赤い場合

- 穿刺によるトラウマティックタップなら三管試験（three-tube test）で，穿刺による出血か疾患によるくも膜下出血かを区別する．3本以上の試験管で髄液を採取して比較すれば，穿刺出血では赤さが2管目以降で薄くなるし，必要ならヘマトクリットを測って確認できる．一方，くも膜下出血では赤さは一様である．また，くも膜下出血の場合，遠沈した上清にもキサントクロミーが見られる．

Memo　キサントクロミー

- 髄液が黄色調の外観を呈する状態であり，脳実質，髄膜の古い出血や脳脊髄腫瘍，髄膜炎，くも膜下腔閉塞などで高頻度にみられる．出血の場合4時間ごろから出現し，2～4週間で消失する．また，重症黄疸で血液・髄液関門の透過性が亢進している場合や，髄液の蛋白量が高濃度のときなどにもみられる可能性がある．

 ● 三方活栓，マノメーター（検圧管）を接続するときは必ず左手で針を固定しながら接続する．
このとき左手で針を押し込んだり抜いてしまうことがあるので，左手を背中につけて固定したうえで針を持つようにするとぶれない．

Memo

 ● 正常値は 60～150 mmH₂O．
200 mmH₂O 以上のときは頭蓋内圧上昇を疑う．

 ● 低髄圧症候群を避けるために，髄液採取が終わったら，外筒をただ引き抜くのではなく，内筒（スタイレット）を再度格納してから抜去するとよい．

Memo

- 穿刺後2時間程度は安静にしていることが多いが，穿刺後安静にすることが低髄圧症候群の予防になるというエビデンスはない．

14 骨髄穿刺

Born marrow aspiration

● 目的
- 骨髄所見より血液疾患などの診断を得るため．

● 準備物
- [ ] 骨髄穿刺針（ディスポーザブルとそうでないものがある．ディスポーザブルのものは非常に切れ味がよい）
- [ ] 穴あき滅菌ドレープ
- [ ] 10mLシリンジ
- [ ] 23G針
- [ ] 1％キシロカイン
- [ ] 消毒用綿球とイソジン
- [ ] 滅菌手袋
- [ ] 滅菌ガーゼ

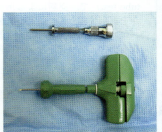
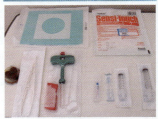

《準備物》

● 検査項目
- スメアー，染色体，表面マーカー，遺伝子解析など

● 合併症
- 腸骨：骨折，出血，感染（骨髄炎など）
- 胸骨：上記に加えて心タンポナーデ，気胸・血胸，大血管損傷

禁 忌
- DICなど重篤な出血傾向がある場合（急性前骨髄性白血病でDICを併発しているような場合は，施行に関して診断価値と危険性のうえから検討が必要である）．
- 血小板減少は注意が必要ではあるが禁忌ではない．

Memo 穿刺部位の選択

- 原則,後腸骨稜で行う.
- **腸骨**:左右どちらかの上後腸骨棘で行う.
- **胸骨を選択する条件**:腹臥位がとれない,腸骨に放射線照射がされている,高度の肥満があるなど,特別な理由のある場合に限る.胸骨角直下の第2肋骨レベルの胸骨体の中央部を穿刺部位とするが,その場合は経験豊富な血液内科医が施行するとされている(日本血液学会2015年8月).

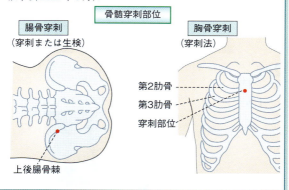

骨髄穿刺部位

Memo 骨髄穿刺針

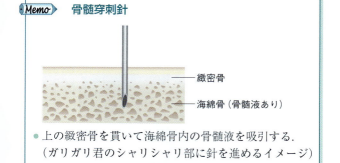

- 上の緻密骨を貫いて海綿骨内の骨髄液を吸引する.
(ガリガリ君のシャリシャリ部に針を進めるイメージ)

手順

1. 患者には腹臥位をとってもらう．
   穿刺を始める前にマーキングを行う．フェルトペンで腸骨のラインを描く．穿刺部位には大きめのマークを．

   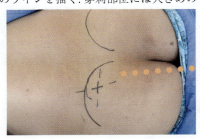

2. イソジンにて消毒し滅菌手袋を着用後，穴あきシートを被せる．
   1％キシロカインにて局所麻酔を行う．

   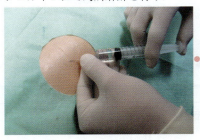

3. 局所麻酔をしたのち皮膚に垂直に針を進めていき，骨膜にも麻酔をする．

- 骨髄穿刺は骨髄採取後すぐにスメアーを引く必要があるため，事前に検査室などに連絡しておく．

- 膨疹を作るとわかりにくくなる場合があるため，腸骨のラインを書いておくと，穴あきシートを被せても穿刺部位を特定しやすい．

- 上後腸骨稜は仙腸関節のすぐ外側にある骨の突起である．

- 針がすべって仙腸関節内に入ることがあるので，皮膚をしっかりと固定して施行するのがよい．

- 患者はうつ伏せで針を刺す瞬間がわからないため，針を刺す際には必ず声かけをする．

- 血液の逆流がないか陰圧をかけて確認した後に麻酔をしていく．

- 骨膜の表面に痛覚があるため骨に針先が当たったら，そこでしっかり麻酔をする（骨膜に貫通するときの痛みが一番強いので，ここでしっかり麻酔をする）．
  この際，皮膚から骨までの長さをしっかり覚えておく．

4 骨髄穿刺針のストッパーを麻酔の際に計った深さに合わせて調節する．手元にガーゼとシリンジを用意した上で穿刺を始める．
骨髄穿刺針を皮膚に軽く当てて局所麻酔が効いていることを確認後，ゆっくり回転をかけながら垂直に針を進めていく．

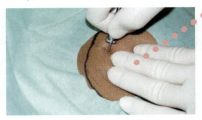

5 内筒を抜き10 mLのシリンジを付ける．
骨髄を引くときは痛みが走るので，その旨を患者に説明する．
左手で外筒とシリンジをしっかり固定し，右手で一気に陰圧をかける．

0.3〜0.5 mL ごくわずかでよい．

6 穿刺針外筒を抜きガーゼで覆いテープで固定する．仰向けになり20〜30分程度安静にする．患者自身の体重で圧迫止血の効果がある．

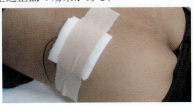

- 針先が骨に当たったのを確認（なかなか骨にあたらない場合は，すぐ横の仙骨関節内を進んでいる可能性があり，皮下まで針を戻してから再度トライするとよい）してからさらに力をかけて骨に針を突き刺していくと，骨の中をどれくらい進んでいるのかが感覚としてわかりやすくなる．
- 骨髄まで達すると手を放しても針が立った状態を保つようになる．また内筒を抜いて先端をガーゼにつけるとガーゼに赤い骨髄液が少量付着する．

- 高齢者は骨皮質がうすく一気にすすむ可能性があり，ゆっくりと針をすすめる．

- 採血をするときのようにゆっくり引くと末梢血が入ってしまうので，シリンジの内筒を一気に7〜8mLくらいまで「グッ」と引き上げ，じわじわ骨髄液が上がってくるのを待ち，0.3〜0.5mLの骨髄液を採取する．
- 脂肪滴の混入があると良好な検体といえる．

- 1回の穿刺で1mL以上引くと，必ず末梢血が混入し，骨髄液の評価が困難となる．

15 胸腔穿刺

Thoracentesis

●目的
- 胸腔内に貯留した浸出液や血液・空気を排除し，これらの圧迫による呼吸および循環障害を除く．また胸水をサンプリングし評価を行う．

●準備物
- [ ] 手術台または高さを調節できるベッド
- [ ] エコー
- [ ] 消毒セット（消毒薬，滅菌綿球，皮膚消毒用鉗子）
- [ ] 手術用帽子，マスク，滅菌手袋
- [ ] 穴あき滅菌ドレープ
- [ ] 局所麻酔セット〔局所麻酔薬，注射器，18 G針（薬液吸引用），25〜27 G針（皮膚局所麻酔用）〕
- [ ] ガーゼ
- [ ] 胸腔穿刺針(エラスター針，トロッカーカテーテルなど)
- [ ] アスピレーションキット®
- [ ] 小切開セット（ペアンなどの鉗子も含む）
- [ ] 延長チューブ
- [ ] 三方活栓
- [ ] 滅菌採取管
- [ ] 低圧持続吸引器
- [ ] 吸引圧調整用の注射器および蒸留水
- [ ] コッヘル
- [ ] タイガン
- [ ] 絆創膏
- [ ] 心電図モニター，血圧計，パルスオキシメーター，点滴セット，蘇生用薬剤一式，蘇生用器具一式

《準備物》

禁忌

- 非協力的な患者
- 穿刺予定部周囲の軟部組織感染
- 呼吸不全や呼吸状態不安定（胸腔穿刺がこれらの治療目的として行われる場合を除く）
- 心血行動態やリズムの不安定
- 不安定狭心症

相対禁忌

- 人工呼吸を受けている患者
- 嚢胞性の肺疾患患者など

> **Memo　合併症として**
>
> - 気胸，再膨張性肺水腫，動脈損傷（肋間動脈・外側胸動脈・内胸動脈前肋間枝など）に起因する胸腔または胸壁への出血，血管迷走神経性または単純な失神，空気塞栓症，感染の誘発，脾・肝穿刺などがある．

- 穿刺部位をエコーによって決定する．十分なエコーフリースペースのある部位が望ましい．

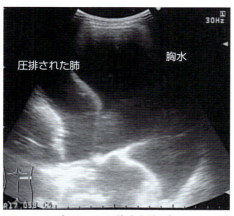

《エコーにて胸水を確認》

▼ 手順

1 患者が楽な体勢で座り，体を少し前へ傾け，テーブルなどの支えるものに腕を乗せる体勢で行う．患者の状態により側臥位・臥位でもよいが，難易度は上がる．

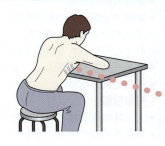

2 穿刺部をエコーにより決定する．（前頁「コツ」参照）

3 穿刺部位を中心に辺縁へ広く，皮膚を消毒．滅菌手袋をはめ，滅菌した布で覆う．

4 局所麻酔薬を用いて皮内に膨疹をつくり，続いて皮下組織，下の肋骨の上縁の骨膜壁側胸膜へと浸潤麻酔する．

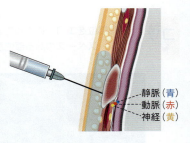

静脈（青）
動脈（赤）
神経（黄）

5 注射器に軽く陰圧をかけ，血液の逆流がないことを確認しながらゆっくり針を進める．針が壁側胸膜に入って，胸水（グレー部分）が吸引されたら，針の深さをマーキングする．

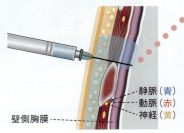

壁側胸膜
静脈（青）
動脈（赤）
神経（黄）

- いずれの体位でも上腕を挙上させておくと肋間が広がり，以下の手技がやりやすくなる．

- 気胸の場合，胸腔鏡を用いた手術に移行することもあるので，エコーでリスクがなければ，第4肋間前腋窩線上で．

- 消毒中にマーキングが消えてしまうことがあるので，肋骨の形なども書いておくとよい．麻酔後膨疹で肋間がわかりにくくなることもあるので，その際も役立つ．

> Memo
> - およそ第5～7肋間の中腋窩線上が目安となる．

- 呼吸で横隔膜の高さが変わることに留意する．

- 実際に穿刺するときは，エコーのときと同じ姿勢で行い，皮膚のマーキング部位が決めた肋間から移動しないようにする．

- 針を一度肋骨に当てた後に，少し針を頭側に向け，上縁を乗り越えるように胸腔内に進める．
- 抵抗が消失し，胸水が引けたらわずかに針を引く．胸水が引けなくなったところが（壁側）胸膜である．（壁側）胸膜の痛みは特に強いとされるため，しっかり麻酔する．
- また，肋骨下縁の血管神経束を傷害しないように，くれぐれも上の肋骨の下縁を避ける．

- 針を頭側方向へ寝かせすぎながら進めると肋骨上縁を乗り越えて行っているつもりが，一つ上の肋骨の下縁にあててしまうことがある．

6 穿刺のみの場合は，径の太いエラスター穿刺針（16〜19 G）にて穿刺を同様に行う．

頭側 →

7 胸水が引けたら5 mmほど進め，外筒のみさらに進める．

8 内筒を抜去し，外筒に三方活栓を付け，その先に延長チューブをつなげ，検体採取や排液を行う．

現場から 「穿刺がうまい」といわれるには…？

まず痛みをほとんど感じさせないこと（十分な局所麻酔を行う），そして，できるだけ短時間ですませること．患者さんや周りのスタッフに緊張と不安をとるために適度な声かけが重要となる．

また，研修医を指導する時には，患者さんを不安におとしいれることのないよう，未熟な技能についての過度な指導の言葉は厳に慎むべきである．

- 内筒を抜くときは空気が入りやすくなるので，息を吸った状態で息を止めてもらい抜くこと．万が一我慢できなくて息を吐いてしまっても，胸腔内は陽圧になるので空気は入ってこない．
- 延長チューブ2本を三方活栓でつないだものを接続すると，胸水採取や排液がしやすくなる．

- 採取した胸水から膿胸や血胸の診断がついた場合には早急にドレナージを行う．（☞p.193 COLUMN参照）

- 胸水は針やカテーテルによる肺損傷を避けるために，胸腔から強く吸引してはならない．
- 血胸の場合は閉塞の原因になるため可能な限りドレナージする．また外傷性血胸など緊急手術を必要とする場合も多いため，呼吸器外科コンサルトが必要となる．

- エコープローブのあてる角度と実際に針をすすめる角度を一致させる．

- 下図のように穿刺点は同じでもエコープローブをあてる角度がずれていれば，肺損傷につながりうる．

- 「穿刺点はずれてなかったけど気胸がおきる」原因の多くはコレ．エコープローブは自分がみやすいように角度を自由にふってしまいがち．

ドレナージの場合

1 尖刃刀にて皮膚に1cmほどの切開を加える．鉗子（ペアン）にて皮下組織を鈍的に開き，刺入経路を作っていく．ペアンの先端で胸膜を突き破り穴をあける．

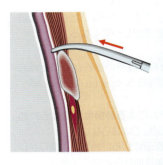

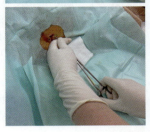

2 チューブの挿入を行う．抵抗があってうまく進まない場合は，鉗子での操作に戻る．
ペアンでチューブの先端寄りを把持し，チューブをすすめる．
チューブを押す抵抗がなくなり，胸腔内に入ったら，チューブが抜けないように注意しながらペアンを外し，排液目的の場合は背側に，気胸での脱気目的なら前壁，肺尖方向にチューブを進めていく．

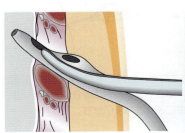

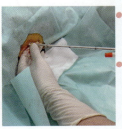

- 尖刃刀は垂直に突き刺し引きながら切るように使う.
- 鉗子は曲ペアン鉗子またはケリー鉗子が使いやすい.（先端が曲がった器具を使う場合，操作方向と先端がややずれることを意識する）.
- 鈍的剥離を行う際は，肋間筋をかき分けるように鉗子の先を肋骨と平行に広げる.
- ペアンの先端を肋骨の上縁を沿いしていくよう心がけ，胸膜を貫く.
- 胸膜の痛みは特に強いので，必要であれば適宜麻酔を追加する. 痛みが強すぎれば，迷走神経反射を起こし，失神や血圧低下・徐脈を起こすこともあるため，注意する. 予防のため，硫酸アトロピン0.25mg静注などを使うこともある.
- 皮切はチューブを入れる肋骨の一肋骨下を目安に.

- 胸膜を突き破るときの肺への損傷の危険を減らすため，示指を使って開ける場合もある.

- 右利きの場合，左手で刺入部付近を持ち，カテーテルが勢いあまって深く挿入されないよう，ストッパーの役目を果たしながら，右手でカテーテルをひねりながら押し進めていく.
- ドレーンの外筒が肺尖部まで届くと咳が出たり，痛みを訴える.

- ドレーン挿入部の出血の有無を確認する. 排液の場合ドレーン内排液の呼吸性移動を，脱気の場合ドレーンの曇りを観察し，ドレーンの屈曲や閉塞がないことを確認. また適宜ドレーンのミルキングを行う.

- 肺の虚脱が強い時などは，チューブを目的の方向に進めやすくするために，内筒付きで行うこともある.

3. チューブを固定する．チューブの脇に1針かけて切開部を縫合し，チューブが抜けないよう固定する．また，チューブ抜去時に使用するための糸を1針かけてチューブに巻き付けておく．

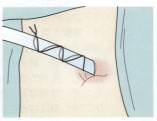

4. チューブを延長チューブに接続し，さらに，排液ボトルに接続する．

5. 胸部X線（可能なら吸気および呼気時の立位の後前面と側面）を撮影して，チューブの位置を確認し，再膨張性肺水腫や気胸などの合併症がないか確認する．

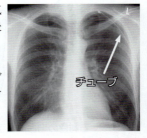

- 大量の胸水がある患者では，①血行動態を不安定にしないように，②肺の再膨張に伴う肺水腫の誘因にならないように，③一度に1,000mLを超えないよう，ゆっくり排液を行う．

- 吸引器が指示された圧で作動しているか，エアリークの有無を確認する．排液の量，性状，色調の変化にも注意する．
- 移動の際など持続吸引を一時的に解除する場合があるが，吸引器につないでいたチューブは必ず解放した状態にしておく（クランプはしないこと）．

胸腔ドレーンバッグ

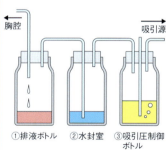

①排液ボトル ②水封室 ③吸引圧制御ボトル

① 排液ボトル：胸腔内の液体（血液含む）が貯留する．
② 水封室：適量の水で水封する．これがないと空気が胸腔内に入ってしまう．液面が呼吸とともに上下することを確認（上下運動がないと，まずチューブの閉塞を疑う）．気泡がみられると，胸腔内のエアリークや回路気密不良などが示唆される．
③ 吸引圧制御ボトル：吸引圧をかけ（10cmの高さまで水を入れると－10cmH$_2$Oの吸引圧に相当），機械を使って外部に脱気する．

患者説明のポイント

■患者への説明の要点

すべて侵襲的な検査・処置において患者は不安を覚えるものである．その不安を少しでも和らげてあげられるよう，ていねいな説明，声かけを心がける．

■検査前

検査や手技の目的を説明する．検査の場合は，胸水を採取し分析を行うことで診断確定に役立てる旨を，治療目的の場合は，胸腔内に貯留した浸出液・血液や気胸によって漏れ出た空気が原因となり，呼吸や循環障害をきたしている病態を噛み砕いた表現で説明した後に，それらの解除を図るためにチューブの挿入が必要である旨を伝える．

皮膚の麻酔時や胸膜を貫く際に痛みを伴うが，麻酔を十分に行い，痛みをできる限りなくして行うこと，麻酔後，もし万が一痛かったらいつでも麻酔を追加できることを説明する．患者を不安にさせすぎない程度に，出血などの大きな合併症についてだけはあらかじめ説明しておくほうがよい．

■検査中

検査が現在どの段階にあるのか，常に患者に話しかけて情報を伝え，痛みがないことも確認する．消毒の際や穿刺の際にも「ヒヤっとしますよ」や「チクっとしますよ」などの声かけが望ましい．

チューブが挿入されれば，その先端と胸壁との接触により，痛みや違和感を訴えることが多い．その部位により，先端の位置を推測しつつ，手技が順調に進行していることを伝えることも大切である．

■検査後

吸引を開始した後は，呼吸困難がないかSpO_2モニターと合わせて声かけで確認する．チューブ挿入後の違和感や訴えが強い場合，体動制限（安静臥床，またはベッド上安静）の説明を行い，制限によるストレス緩和を図る．

検査後は，内服薬や点滴で疼痛管理を行う旨を伝える．「お疲れ様でした」などの労いの言葉もよい．

●検査項目

- 外観（色，性状）：膿性か血性か，乳び胸か．
- 臭気の有無：嫌気性菌は臭気あり．
- 細菌培養：結核菌培養および PCR．
- 病理細胞診
- 白血球分類：リンパ球優位か，好中球優位か．
- 生化学検査（TP, LD, 糖, pH），ADA, アミラーゼ，腫瘍マーカー（CEA, SCC）

胸水のドレナージの適応

漏出性胸水の治療は，浸透圧の差を減らすことに尽き，原則ドレナージしてはいけない．スペースに余裕ができ，圧が下がるため，余計に漏出を招くこととなる．

胸水があってドレナージの適応になるのは，以下のような場合（まずは胸水を抜いて調べるのが大前提）．

①膿胸と考えられる時

②滲出性胸水で胸水による呼吸不全の症状がある時

また，検査で胸水 pH < 7.20, 糖 < 60mg/dL, グラム染色陽性のときなど，抗菌薬投与中に増悪している場合は少量でもドレナージ適応とする．

③血胸，乳び胸の時

いずれの場合も高齢者，合併症(+), Risk(+) 患者ではドレナージに対する閾値を低くする．

※胸水の pH が大切なのは，肺炎随伴性胸水などにおいて pH < 7.20 のときでは抗菌薬の移行が不良になり，治療困難になるため．

> **Memo**　Light基準（滲出性胸水と漏出性胸水の鑑別）
>
> ①胸水／血清総蛋白質 > 0.5
> ②胸水／血清 LD > 0.6
> ③胸水 LD > 血清 LD の正常上限の 2/3
>
> ※上記のうち1項目以上を満たせば，滲出性とする．

16 腹腔穿刺

Paracentesis

●目的
- 腹腔内液体の性状を確認
- 排液（ドレナージ）
- 薬剤注入
- 腹水の細胞診
- 難治性腹水の治療
  （☞ p. 199「CART療法」）

●準備物

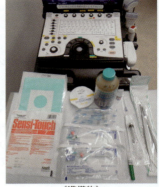

《準備物》

- ☐ 穴あき滅菌ドレープ
- ☐ 滅菌手袋
- ☐ 10 mLシリンジ
- ☐ 1％キシロカイン
- ☐ 23 G針（＊特定の穿刺キットはなく静脈留置針を代用することが多い．）
- ☐ 三方活栓に延長チューブ2本とシリンジをつけたもの
- ☐ 滅菌スピッツ3本（1本は病理検査用にヘパリンナトリウム1 mLを入れておく）
- ☐ 消毒用綿球とイソジン液
- ☐ エコー
- ☐ 排液ボトル（メスシリンダー）

●合併症

- 腸管損傷：経時的に腹部所見をとり，腹膜刺激症状が明らかであれば開腹する．本法の合併症で開腹することはあまりない．
- 出血：腹壁のものなら圧迫止血で十分であるが，腹腔内のものは有効な方法がなく，必要ならば開腹により止血処置を行う．
- ショック：腹圧低下に伴って循環血液の偏在化が起こり血圧低下を引き起こすことがある．

禁 忌

- 広範な腸管癒着が予想される場合,腸管の著明な拡張を認める場合や手術創瘢痕のある部位での穿刺など.

> **Memo** 穿刺部位の選択

- 腹水が多い場合は臥位,少ない場合は骨盤低位にする.
- CTやエコーで安全に穿刺できる部位を確認する.一般的には腹直筋の外側で肋骨弓と腸骨前上棘を結ぶ線の中間点,あるいは上から2/3ともいわれるが,臓器と腹壁までの距離が十分あり,安全に施行できるところを優先する.エコーをする際には腹膜から臓器までの長さも測定する.

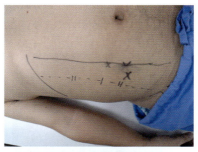

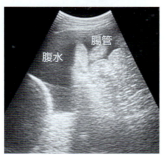

▼ 手順

1 穿刺部位を決めマーキングする．消毒，滅菌手袋装着後穴あきドレープを被せる．腹水の採取だけでなく腹水を排液する場合，三方活栓に延長チューブ2本とシリンジをつなぎロックをした状態にしておく．

2 皮下麻酔をし膨疹を作る．腹壁に垂直になるように陰圧をかけながら針を進めていく．腹水が引けてきたらゆっくり針を戻し，腹水が引けてこないことを確認して腹膜に麻酔をする．

- 消毒していない部分が穴あきシーツの穴の中に入らないよう消毒は広めにする．またマーキングは消毒中に消えてしまうことがよくあるので，大きく十字を書くなど多少消えても大丈夫な工夫をすると直前に焦らない．

- 腹水が引けたときの針の長さをしっかり確認しておく．
- 腹水が引けなくなった瞬間のところが腹膜．

- 局所麻酔では腹水が引けたのに静脈留置針にかえ，内筒を抜くととたんに引けなくなることを経験することがある．特に細い静脈留置針では，腹圧にて吸引できないこともあるので，針そのもので抜くか，透析に使う16-17G留置針で代用すると成功することが多い．

3 静脈留置針に持ち替え本穿刺を行う．膨疹の中央部から垂直に刺入する．シリンジで陰圧をかけながらゆっくりと挿入していく．腹水を確認したら内筒を抜き，外筒だけをゆっくり進める．

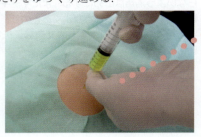

4 試験穿刺の場合，大きめのシリンジを付けて腹水を採取すればそれで終了となる．腹水を抜く場合，準備しておいた延長チューブをつなぎ，もう一方の延長チューブをメスシリンダーに固定してもらう．

● 検査項目
- 比重および蛋白濃度，アルブミン濃度
- 細胞数
- 細胞種類検査（白血球の分画など）
- LD
- 腫瘍マーカー：AFP，CEA，CA19-9，CA125など
- 細菌培養
- 病理細胞診

- 片方の手で針の途中をおさえ，ストッパーをかけておくとよい．筋層を貫くときはやや抵抗があり，そこを抜けると腹水が引けてくる．
- 内筒を抜くときは，すぐに指で栓をしないと腹水がこぼれるので，患者さんに息こらえをしてもらうとよい．

- シリンジで腹水を引き，三方活栓の向きを変えて排液していく．こうすると外筒にテンションがかかりにくく安全にできる．

- 静脈留置針だと排液がすすむにつれ，先端が腸管を吸着し，ドレナージがすすまないことがある．その場合は側孔のついている透析留置針が有用である．また，留置針の固定の場合は腹腔に垂直に固定するとドレナージがすすむことが多い．

CART療法（腹水濾過濃縮再静注法）

癌や肝硬変などによって溜まった腹水を濾過濃縮して有用な蛋白成分を回収する治療法．溜まった腹水をバッグに取り出し，その後濾過器を用いて細菌や癌細胞などを除去した後，濃縮器で除水を行い，アルブミンやグロブリンなどの有用な物質を濃縮して，再び体内に戻すことができる．

難治性の腹水は胃癌や卵巣癌などによる癌性腹水や肝硬変などでもみられ，食欲が低下したり，呼吸不全の原因にもなる．腹水穿刺を行い腹水を抜いた場合，腹水中のアルブミンやグロブリンなど蛋白成分も同時に抜くため，さらに腹水がたまりやすく，栄養状態の悪化を招くことになる．

CART療法の場合，採取した腹水中のアルブミン，グロブリンは回収したうえで約1/10の量に濃縮し静脈内に戻す．このときアルブミンは約8割，グロブリンは約6割程度回収でき，癌細胞についても除去できるとされており，食欲や栄養状態の改善などの効果がみられることもある．

17 導尿法・尿道カテーテル留置

Urinary catheterization

目的
- 何らかの原因（意識障害，脊髄損傷など）で膀胱内の尿を排泄できなくなった状態（尿閉）の解除．
- 無尿と尿閉の鑑別．尿量の正確な把握．
- 泌尿器科手術の術後における局所の安静・止血．
- 安静臥床が必要な状態での排尿管理．
- 尿のサンプリング．

準備物
■1回導尿のとき
- ☐ 消毒セット　☐ 滅菌手袋　☐ 滅菌布
- ☐ ネラトンカテーテル（10Fr前後）
  ※乳幼児では6〜8Fr，小児では8〜10Fr
- ☐ 潤滑ゼリー（疼痛時のキシロカインゼリー® など）
- ☐ 摂子　☐ 尿コップまたは膿盆　☐ 生理食塩水
- ☐ カテーテル用注射器　☐ 検査用スピッツ

■カテーテル留置の場合（上記に加えて）
- ☐ 尿道カテーテル（14〜18Fr）
  ※乳幼児では6〜8Fr，小児では8〜12Fr
  ※フォーリーカテーテルが基本だが，男性ではチーマンカテーテルも考慮．
- ☐ 注射器（10mL）　☐ 滅菌蒸留水（10mL）
- ☐ 閉鎖式蓄尿バッグ　☐ 固定用テープ

禁忌
- 外傷などによる尿道損傷が疑われるとき．

合併症
- 尿道損傷（→偽尿道形成）
- 外尿道口狭窄，尿道狭窄
- 膀胱損傷 / 穿孔
- 尿路感染（膀胱炎，精巣上体炎，前立腺炎）
- 長期留置症例では結石形成や尿道皮膚瘻孔形成

Memo　尿道カテーテルの種類と選択

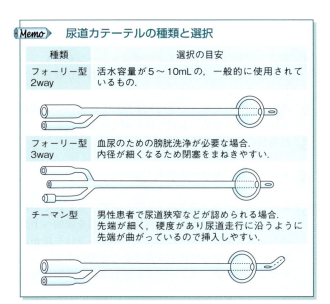

種類	選択の目安
フォーリー型 2way	活水容量が5～10mLの，一般的に使用されているもの．
フォーリー型 3way	血尿のための膀胱洗浄が必要な場合．内径が細くなるため閉塞をまねきやすい．
チーマン型	男性患者で尿道狭窄などが認められる場合．先端が細く，硬度があり尿道走行に沿うように先端が曲がっているので挿入しやすい．

- 硬いものを挿入したり，無理やり挿入した際に尿道損傷の危険性が高まる．

- 交換の際にはすぐに新しいカテーテルに入れ替える．前立腺肥大の際には入れ替え困難になることがあるので注意する．

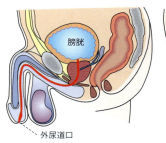

男性

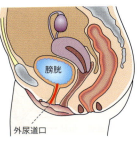

女性

《尿道口から膀胱の解剖》

▼ 手順

1. 患者の臀部の下にディスポーザブルシーツを敷く．引き続き必要に応じてエコーで残尿があるか確認しておくのもよい．
2. 患者の右側に立ち，患者を仰臥位にし，男性では両脚を伸展開脚とする．女性では開脚し膝を立たせる．
3. 外陰部の消毒を広く行う．
4. カテーテルにゼリーを塗布する．
5. 男性の場合，左手第3指と4指の間で陰茎を軽く保持し，母指と示指で亀頭部を保持し，陰茎を頭側へ十分牽引し挿入する．挿入にあたり，バルーンは先端から3〜4cmのところで摂子や鉗子などで把持する．
介助者がいれば，カテーテルが跳ねないよう根元部分を持ってもらう．

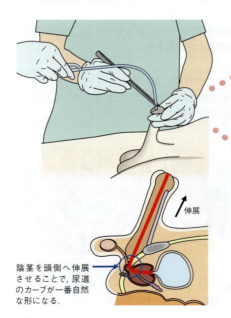

伸展

陰茎を頭側へ伸展させることで，尿道のカーブが一番自然な形になる．

- 低めの腰枕を用いると操作が楽になる，または胡坐をかかせる姿勢をとる．

- 男性では包皮を十分に翻転し，女性では小陰唇を開いて外尿道口を消毒する．

- 刺激性のある消毒液（アルコール等）を用いない．

- 先端のみでなく10cm部ほどまで塗布するとスムーズになる．

- 男性で挿入困難かつ疼痛ありの場合，外尿道口からキシロカインゼリーを10mLほど挿入し数分待つことで局所麻酔となりうる．

- カテーテルが外尿道括約筋部（成人の場合は外尿道口から約16〜18cm）を越える際に抵抗を感じるが，ゆっくり押していけば抵抗が消失する．さらに4〜5cm進めると先端が膀胱内に達する．

- 前立腺肥大症などで尿道が周囲から圧迫されているための通過障害では，太めのカテーテルの方がコシがあり挿入しやすい．

- フォーリーカテーテル挿入困難の場合には，12〜14Frのチーマンカテーテルを用いてみる．その際には先端が曲がった方向を頭側に向けると膜様部を通過しやすい．

- リラックスにより，外尿道括約筋部の緊張解除が期待できるため，深呼吸を促す．呼気時の方が括約筋の弛緩が得られやすい．

- 12〜14Frのチーマンカテーテルでの挿入も試みて，なおも抵抗が強い場合には無理をせず，泌尿器科をコールする．

17 導尿法・尿道カテーテル留置

5. 女性の場合は母指と示指で陰唇を十分に開き外尿道口を確認し，カテーテルを挿入する．約4cmで尿の流出を認める．

6. バルーン部分が確実に膀胱内に入るようカテーテルの根元まで深く挿入し，尿の流出を確認してから，滅菌蒸留水でバルーンを膨らませる．バルーンが膀胱頸部に引っかかって止まるまでカテーテルを引き抜いて留置操作を終了する．
7. 閉鎖式蓄尿バッグに接続し，身体より低い位置に開放し，テープ固定する．

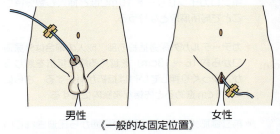

《一般的な固定位置》

●術後検査

- 尿の流出が良好であれば不要．
- 流出不良の場合はエコーで位置を確認．膀胱洗浄によりエコーで確認しやすくなる．エコーがない場合には洗浄水の戻りを確認する．

患者説明のポイント

- 意識下で行う場合，外陰部の処置であるため大きな羞恥心を伴い不安になっていることが多い．緊張状態では，尿道括約筋が収縮するため，リラックスしてもらうことを心がける．
- 操作に伴う不快感，一過性の刺激症状について説明する．
- 留置後も尿意などの違和感があることを説明．
- 意識清明な患者に対してはカテーテル留置の必要性についてしっかり説明し納得してもらうよう努める．

- 高齢女性の場合，腟の萎縮に伴って外尿道口が退縮し，腟前壁の方に移行し，直視で確認できないことがある．腟口を右手で塞いだその上にバルーンを添わせて入れる．

- バルーンへの注入には生理食塩水を用いてはならない．生理食塩水からNaClが析出し，インフレーションルーメンを閉塞させ，カテーテル抜去時にバルーンを虚脱させることができなくなることになる．

- 膀胱内の尿量が少ない場合，尿の流出が見られないことがあり，エコーでの確認・膀胱洗浄で，洗浄水の戻りを確認する．

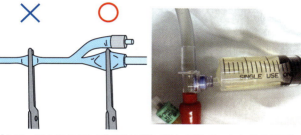

《カテーテルをクランプする位置》《サンプルポートからの採尿》

カテーテルの抜去が困難となった時の対応

　固定水が抜けずにカテーテルの抜去が困難となってしまった場合には，蒸留水を少量追加で注入してポンピングを繰り返して閉塞の解除を試みる．

　バルーン内の固定水を抜く場合にシリンジを強く引くと，固定水側のルートが陰圧になり閉塞を招くことがあるため，無理やり引かずに自然に固定水がシリンジ内に戻るのを待つ．それでも固定水が抜けない場合には，固定水側のルートを切断する．

　固定水が排出されない場合はバルーン用の穴から尿管カテーテルのステントワイヤーを通すと固定水が排出されることがある．

　また，膀胱内に約200mLほどの生食を注入後，エコーを見ながらカテラン針でバルーンを破裂させる方法もある．

18 ドレーン・チューブの管理

Drain tube management

概要
- 体内に貯留した液体（滲出液，血液，消化液，膿汁など）や気体を誘導排泄することをドレナージという．ドレナージのために体内に挿入・留置する管のことをドレーンという．

目的
- **治療的ドレナージ**：例えば，術後に腹腔内や胸腔内に貯留した液体を体外に誘導したり，膿瘍や膿胸などの膿汁排泄のためのドレーンなど．
- **予防的ドレナージ**：主に術後に予想される液体，空気の貯留を防止し，感染，縫合不全を防止するためにあらかじめ留置しておくドレーン．
- **情報ドレナージ**：手術部位に出血や縫合不全，感染等の異常事態が発生した場合，それを速やかに知らせるためのドレーン．予防的ドレナージと厳密には区別できない．

ドレナージ方法

■切開によるドレナージ
皮下の膿瘍などに対して行う．切開口はすぐに閉鎖する傾向があるので，ガーゼやドレーンを引き続き留置することもある．

■穿刺によるドレナージ
体腔内の膿瘍などに対しては，超音波やCTガイド下に穿刺し，ドレナージを図る．

■チューブやドレーンによるドレナージ
- **開放式ドレナージ**：滲出液が少なく，早期にドレーンが抜去できると予想される場合に多用される．主に情報ドレナージとして利用される．ドレーン端を切離開放した

《開放式ドレナージ》

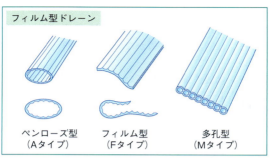
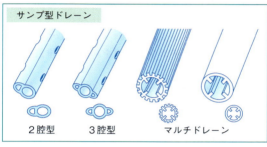
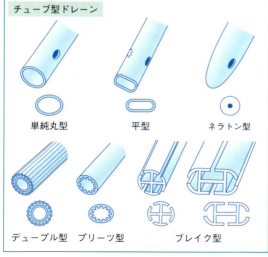

《各種ドレーン》

ままドレナージを行う方法.

ドレーンの端は滅菌ガーゼで覆うが,排液が大気に触れ,ドレーンに逆流防止機構がないため,逆行性感染の危険が高い.

- ドレーンは浅く挿入されているため確実な固定が必要となる.ドレーンが抜け落ちたり体内に迷入しないように滅菌安全ピンなどでの固定を行う.
- **閉鎖式ドレナージ**:主に治療的ドレナージ,予防的ドレナージとして使われる.

排液が,大気に触れず,逆行性感染が防げるが,扱いに注意が必要で患者の体動も制限される.

①受動的ドレナージ:貯留用バッグを用いて,自然の圧差,あるいはサイホンの原理を利用して排液を行うドレナージ.

②能動的ドレナージ:持続吸引器に接続して,積極的に陰圧をかけて行うドレナージ.低圧持続吸引,ポータブル持続吸引,間欠的持続吸引などがある.

挿入・留置のポイント

- ドレーンを挿入する際は,刺入部から先端までができるだけまっすぐに,かつ最短距離になるように挿入する.
- ドレーン先端が,臓器や血管,吻合部を圧迫していないか確認しながら行う.
- チューブの位置はできれば閉創時にX線撮影下に確認し,屈曲や蛇行のないように留置することが望ましい.
- ドレーンの本数は必要最小限に抑え,液の貯留しやすい部位に留置する.
- チューブは体動などでずれないように,皮膚の挿入部に対して自然な位置で皮膚に固定する.抜けることのないよう確実な固定を行う.
- チューブは開放式・閉鎖式のいずれにせよ内腔が開存していることが必須であり,常にその確認を行う.

管理のポイント

- チューブからの排液の量と性状を確認することがきわめて重要であり,小さな変化を見逃さない.
- ドレーンからの排液は,1日1回またはドレナージバッ

Memo　各チューブの長所と短所

	長所	短所
フィルム型	・挿入部の違和感が少ない ・屈曲しても一定のドレナージ効果がある ・柔軟で組織を傷つけることが少ない ・漿液性滲出液のドレナージに優れている	・ドレーンの位置が不確実である ・内腔がつぶれやすく，洗浄は困難である ・粘稠性が強い排液はドレナージしにくい ・ドレーンの入れ替えが行いにくい
サンプ型	・内腔の洗浄ができる ・内腔が閉塞しにくい ・粘稠な排液もドレナージできる	・逆行性感染が生じるおそれがある
チューブ型	・内腔の洗浄ができる ・ドレーンの入れ替えが比較的容易である ・粘稠な排液もドレナージできる	・単孔型は屈曲すると内腔が閉塞する ・周囲組織を吸い込み損傷をきたすおそれがある
ブレイク型	・内腔を持たず，目詰まりが少ない ・持続吸引に使用される	・治療的ドレーンには適さない

- 糸結びにて固定する際，結びが緩すぎると抜けてしまう．
- 一方できつく締めすぎると，例えばデュープル型ドレーンの場合，周囲の小孔をつぶしてしまい，毛細管現象によるドレナージが利かなくなってしまうので注意．

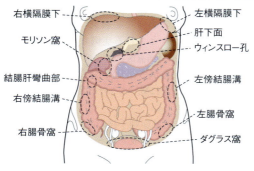

《腹腔内でのドレーンの主な挿入位置》

グが満杯になった場合,排液を行うかバッグを交換する.
- チューブからの逆行性感染を予防するために,清潔操作を励行する.
- 挿入されたドレーンは必要な期間まで挿入し,できるだけ早く抜去するようにする.

(フォーリーカテーテルについては☞ p.200「導尿法」,胸腔ドレーンについては☞ p.182「胸腔穿刺」,胃管については☞ p.212「胃管の挿入と管理」を参照)

ドレナージって偉大

　ドレナージは学生や若い先生方が想像している以上に偉大な手技である.

　例えば,緊張性気胸での穿刺・ドレナージは分単位を争う救命手技で,胸腔穿刺が研修医必須手技とされている以上,医師3年目以降の有事の際に「自分は外科医や救急医ではないから……」という言い訳はきかない可能性もある.また穿刺すれば終わりでなく,そのドレーンの管理も知っておかないと当直帯を乗り切ることもできないかもしれない.

　昔は手術ありきであった胆嚢炎や膵炎の症例でも,まずはドレナージ!とされる症例も多くなり(☞詳細は各ガイドラインや『当直医マニュアル』を参照),そのおかげで救命率があがったり,各部の膿瘍形成症例でもドレナージが十分に効いていれば抗菌薬も不要であったりもする.

　ドレナージの成功は穿刺手技のみでなく,その後のちゃんとした管理によって成立する.穿刺が花形になりがちであるが管理についてもしっかり注目して欲しい.

> **Memo** 吸引器の種類（①〜④）

チェストドレーンバッグ
①低圧持続吸引器：胸腔内に用いる．（住友ベークライト Web ページより）

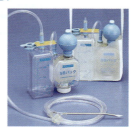

SB バッグ®
②ポータブル持続吸引器：腹腔内や関節腔内に用いることが多い．（住友ベークライト Web ページより）

J-VAC® スタンダード型リザーバー

J-VAC® バルブ型リザーバー

③ポータブル持続吸引器：腹腔内に用いる．
（ジョンソン・エンド・ジョンソン Web ページより）

メラ サキューム MS-008EX®

ハマサーボドレイン 3000®

④間欠的持続吸引可能な吸引器：胸腔内，腹腔内に用いる．
（〈上〉泉工医科工業，〈下〉イノメディックス Web ページより）

19 胃管の挿入と管理

Nasogastric tube/Orogastric tube management

●目的
- 消化管の減圧(消化管手術における術中・術後の胃/腸の減圧,腸閉塞や幽門狭窄等の通過障害に対しての減圧).
- 経腸栄養・薬剤投与路としてのルート.
- 胃内容物の吸引・モニタリング(検体提出や上部消化管出血・通過障害のモニタリング).
  ※参考:太い洗浄用胃管を経口的に挿入するほうが効率よく行える.
- 胃洗浄や低体温や異常高熱時の体温調節.

●準備物
- [ ] 胃管(減圧目的では14〜18Frの太めの胃管チューブ,薬剤・栄養剤投与目的では8〜12Frの細めの栄養チューブ,胃洗浄目的では30〜36Frチューブ)
- [ ] 潤滑ゼリー(疼痛時のキシロカインゼリー® など)
- [ ] カテーテルチップ型の注射器
- [ ] 聴診器 [ ] 固定用チューブ [ ] 接続用チューブ・排液袋
- [ ] 膿盆(咽頭反射による嘔吐に対して)
- [ ] パルスオキシメーター(気管内誤挿入等のモニタリング)

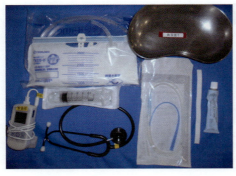

《準備物》

●処置開始前の準備
- 咽頭反射による嘔吐を引き起こすことがあるため,膿盆や吸引器は最初から頭部の横に置いておく.
- 挿管が必要な患者に対しては,先に挿管を行っておく.

●合併症
- 気管への誤挿入
- 食道/胃穿孔
- 食道静脈瘤出血
- 胃の接触性びらん・潰瘍
- 鼻出血・鼻の皮膚や鼻腔内の潰瘍・圧迫壊死
- 嘔吐による誤嚥・窒息

> **Memo** 胃管・フィーディングチューブ
>
> 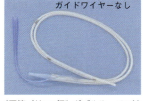　
>
> 《胃管(サンプ型・ダブルルーメン)》　《フィーデングチューブ》
>
> - 胃管は他に,NGチューブ,マーゲンゾンデ,ストマックチューブ(STチューブ)などと呼ばれることもあるが基本的に同じ.フィーデングチューブは細く,排液目的には適さない.EDチューブは胃以外に十二指腸や空腸にも留置することがある.排液目的に用いることはない.なお,「マーゲン」「ゾンデ」はドイツ語.
> - 構造は単腔のレビン型と2腔・3腔型のサンプ型(☞p.207各種ドレーン)があり,サンプチューブと呼ぶスタッフもいる.
> - 細いものは挿入しにくいため,ガイドワイヤー(スタイレット)付きのものもある.
> - 素材はシリコン製やポリ塩化ビニル製のものが多く,先端はX線不透過の線が入っているものが一般的で,胃に入っているかどうかを確認できるようになっている.

手順

1 処置の準備を行っておく．
- 嘔吐に際し，膿盆を患者の体の横に置いておく．
- 男性の場合，留置後の固定テープが接着しやすいように髭を剃っておく．
- 義歯のある場合，誤嚥・窒息を避けるために取り除いておく．

2 仰臥位・坐位など，挿入に適した体位をとる．
※以下のイラストは仰臥位の場合

3 胃管の先端を鼻孔に当て，挿入側の耳朶を経由して剣状突起まで引き伸ばし，挿入する長さを確認する．（成人の場合，鼻孔から胃までの長さは約45〜50cmほど）

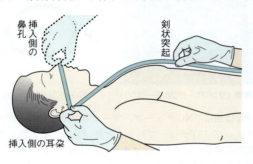

挿入側の耳朶

4 鼻孔に潤滑ゼリーを注入し，胃管にも先端から15cmほど潤滑剤を塗布する．

- 挿管下では仰臥位がやりやすい.
- 咽頭反射や誤嚥のリスクから, 非挿管下では坐位・ファーラー位・セミファーラー位・左側臥位などの姿勢を取る.

経腸栄養って偉大

　全身管理, 創傷（褥瘡を含む）管理において, 点滴での栄養では成し得ない回復が経口あるいは経腸栄養を経ることで成し得る症例が何と多いことか.

　人工呼吸器管理を要する患者では, 挿管チューブとセットで胃管またはフィーディングチューブを入れてしまう位の感覚でいて欲しい. 非挿管患者においても, 経口摂取が進まず, 全身状態が立ちあがらない場合には経腸栄養開始も一考の余地は大いにある.

- 鼻孔の広い側を選択しておく（鼻中隔彎曲や鼻詰まりなどの存在のチェック）. 注入反対側の鼻孔を塞ぎ, 潤滑ゼリーを咽頭まで届くよう吸ってもらうと, (苦味はあるが) 以後の咽頭反射を軽減できる.

- 筆者は潤滑ゼリーを注入する際に, 鼻腔に小指を入れさせてもらう事で広さ狭さのスクリーニングを行っている.

5️⃣ 胃管をペンホルダー型に持ち，顔面に対して垂直方向に鼻腔へ挿入していく．

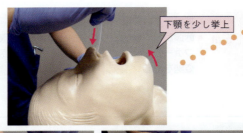

下顎を少し挙上

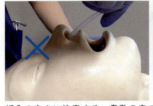
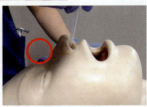

挿入の向きに注意する．鼻孔の奥ではなく，咽頭の方向へ挿入する

6️⃣ 約10～15cmの挿入で先端が咽頭（最初に抵抗がある位置）に達する．ここで一旦止め，唾を飲み込んでもらい，その嚥下運動に合わせて進めていく．

7️⃣ 成人の場合，約45～50cmで胃内に達するため，約55～60cm挿入する．

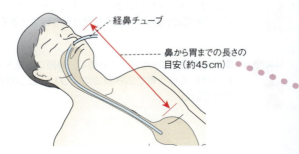

経鼻チューブ

鼻から胃までの長さの目安（約45cm）

- 鼻梁線の方に進めるとうまくいかないことが多く，意識のある患者では口呼吸させながら頸部をやや後屈してもらい，意識のない患者では下顎を軽く挙上するようにすると咽頭まで挿入しやすい．

- 先端が食道に挿入されずに口腔内にとぐろを巻くことがあるので，必ず口腔内を確認する．また，食道裂孔ヘルニアがある場合は，胃・食道接合部で反転しとぐろを巻くことがある．

- チューブ先端にコシがないことが，挿入困難の原因の一つであるので，あらかじめチューブを凍らせて硬くしておく．ほかにガイドワイヤー（スタイレット）付きのものの使用も考慮する．
- 意識のない患者で咽頭部を通過しにくい場合には，挿管時の下顎挙上法の要領で下顎を十分に挙上させると進ませやすい．
- 意識のある患者では頸部を前屈させながら唾液を飲んでもらうと進ませやすい．
- 噴門部を通過しにくい場合は，小刻みに振動・空気を少し挿入するなどの工夫もよい．

- 咽頭反射が強い患者では嘔吐を惹起することがあり，膿盆を用意しておく．気管への誤挿入にも注意し，パルスオキシメーターでモニタリングのこと．

- 協力の得られない患者では喉の動きを注意深く観察し，唾を飲み込んだ際にチューブを進める．

- 深く入れすぎると，胃粘膜を圧排して，長期留置の場合に潰瘍形成の原因となるので注意．

8 胃内に挿入されているか否かの確認を行う（チューブ先端位置の確認）．

- **気泡音の聴取**：心窩部に聴診器を当てた状態で，チューブに約15mLの空気を注入し，気泡音の聴取を確認する．
- **胃内容物の確認**：注射器で陰圧をかけて，胃内容物が返ってくることを確認する．

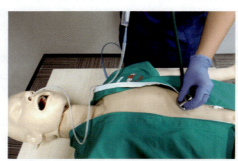

胃管より空気を送り込み，心窩部で気泡音を聴取して，胃内挿入を確認する

- **X線撮影にて先端位置の確認**：胸部単純撮影（心窩部がしっかり入る撮像範囲で）を行い，気管・肺内にチューブ先端がないことを確認する．特に経腸栄養・薬剤投与ルートとして扱うときには必ず行う．

> **Memo　チューブ先端位置の確認＋α**
> - 吸引物のpHが5.5未満(酸性)なら胃内容物の可能性高い（制酸薬投与中の場合は例外）．
> - ほかCO_2検知器による確認で気管への誤挿入を発見する方法もある．

- 挿入がどうしても困難な場合には，内視鏡的に行うことも考慮する．

- 下部食道でとぐろを巻いた状態，気管に挿入された状態でも，気泡音がすることがあるので注意．左右の肺底部も同時に聴取することで，気管内への誤挿入がないか確認する．

- 聴診だけでは大丈夫とは言い切れないため，客観的なものを残す意味でも，使用開始前にＸ線撮影は必要。

- 黄色い液が大量に返ってくれば胃内に挿入されていると判断してよいが，少量しか返ってこない場合やまったく返ってこない場合には，胃内に挿入できていない可能性がある．

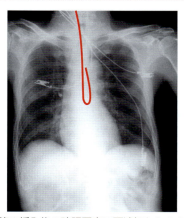

《胃管の挿入後の確認写真で不適切なものの例》
胃管が食道内で反転し，先端が食道内にある．

9 チューブをテープで固定する．チューブの位置が変わらないよう鼻孔部でチューブを固定し，チューブの抜去を防ぐために緩やかなループの後，頬部にテープ固定する．

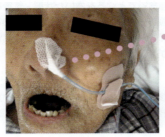

禁 忌

- 食道に出血性病変がある患者（とくに red color sign のある食道静脈瘤）．
- 強酸・強アルカリ薬物の嚥下後（チューブでの食道/胃の穿孔や反射性嘔吐後の誤嚥性肺炎のおそれあり）．
- 出血性素因のある患者．
- 外傷後などで髄液鼻漏（頭蓋底骨折）のある患者．
- 上部消化管術後早期の患者における再挿入（吻合部穿孔の可能性あり）．

患者説明のポイント

- まずは，チューブの診断・治療上の必要性を説明する．
- 次に，チューブ通過や留置に伴う不快感，反射による嘔吐，気管内誤挿入などを説明のうえ，同意を得る．飲み込みの協力により手技がスムーズに運びやすい旨を伝えておくのもコツといえる．

- チューブにより鼻に潰瘍を形成することもあるので注意する.

> **Memo** 胃管留置後の留意事項
>
> - 口からは食べ物を摂取しないが、歯みがきなどの口腔ケアは必要.
> - 口を使わない分、唾液の分泌が少なくなるので自浄作用が減り、口の中に細菌が増えやすくなる. すると、口臭の原因になるほか、細菌が増えた唾液を誤嚥して肺炎になるリスクが高まる.

OE法（間歇的口腔食道栄養法）

摂食嚥下障害患者においては、間歇的口腔食道栄養法（OE法）もある. この際チューブの挿入口は口、先端は食道になる. つまり、本章の胃管を胃内まで入れられなかった場合でも、OE法を参考にすれば、栄養目的であればその胃管は利用可能である. 一方でドレナージは期待できないことに留意が必要である.

なお、本来のOE法はチューブ先端が上部食道ゆえ、食道の蠕動運動を起こし、その蠕動により食物が胃に運ばれ、より生理的な食塊の流れに近づき、下痢や胃食道逆流の減少が期待できると言われる.

20 局所麻酔法

Local anesthesia

● 目的
- 処置・手術部周囲の知覚神経の痛みの伝達を遮断する.
- 縫合, 膿瘍切開, 小腫瘤摘出などの小手術や処置を行う前に患者の苦痛をとる.
- 全身麻酔に比べ侵襲が少ない（浸潤麻酔法, 周囲麻酔法, 伝達麻酔法）.

● 処置開始前の準備
- 麻酔前に創周辺の感覚を確認する.
- 麻酔部位の皮膚が十分に緊張する体位・肢位をとる.
- 清潔操作ができる準備をする（ガーゼ, 覆布, 局所麻酔後の操作の準備など）.

● 準備物 (☞ p.82「注射法」を参照)
☐ 局所麻酔薬（リドカインなど）（下表参照）

■ 局所麻酔法に用いるリドカイン塩酸塩の種類

	名称（商品名）	1管あたりの量
表面麻酔薬	キシロカイン液4%	20mL, 100mL
局所麻酔薬	キシロカイン注ポリアンプ2%	（それぞれ） 5mL, 10mL
	キシロカイン注ポリアンプ1%	
	キシロカイン注ポリアンプ0.5%	
	キシロカイン注射液2%エピレナミン	（それぞれ） 20mL, 100mL
	キシロカイン注射液1%エピレナミン	
	キシロカイン注射液0.5%エピレナミン	
抗不整脈薬	注射用キシロカイン2%	5mL

①ほかに局所麻酔薬としてプロカインやブピバカインなどがある.
②「キシロカイン注射液エピレナミン」は, エピネフリン注射剤が含まれている（エピネフリン入り）(☞ p.223 Point 参照).
③上記記載の極量は添付文書上の記載を引用しており, リドカイン塩酸塩の極量は4mg/kg, エピネフリン入りでは7mg/kgとされている.
④キシロカインアレルギーがある場合, 抗不整脈薬の「注射用キシロ

●確認事項
- 既往歴
- アレルギー歴(アルコール,キシロカイン®など)

- 「歯医者さんの麻酔で具合が悪くなったことがありますか?」などの問診をとる.

エピネフリン入りの局所麻酔
- 出血が多い場合,血管を収縮させて出血を少なくする.
- 血管収縮作用により,他へ麻酔薬が流れにくくし,麻酔薬の使用量を減らす.
- 使う前に,既往歴(心疾患,高血圧,糖尿病,甲状腺機能亢進症など)を確認する.
- 鼻,耳介,指,陰茎などは動脈収縮による組織壊死を起こすため禁忌.
- エピネフリンの効果がなくなった後の再出血のリスクもあるので注意する.

極量		添加物
5mL	200mg	メチルパラベン,pH調整剤
10mL		
20mL		塩化ナトリウム,pH調整剤
40mL		
25mL	500mg	塩酸,塩化ナトリウム
50mL		メチルパラベン
100mL		ピロ亜硫酸ナトリウム,pH調整剤
(局所麻酔薬として)10mL	200mg	塩化ナトリウム,pH調整剤

カイン」を使用することもある.これは,添加物内の保存剤に対するアレルギーが原因であるためと考えられているが,実際には「キシロカイン注ポリアンプ」も注射用キシロカインと添加物の内容は同じである.

⑤実際に使用する際には,極量を超えないようにするために,生理食塩水で希釈して使用することがある.

▼ 手順

局所浸潤麻酔

1. 手術時の消毒と同様に創部や麻酔野を消毒し，覆布を掛ける．
2. ラベルを確認して，介助者が持つアンプルや瓶から麻酔薬を注射筒へ移す．キャップを外すだけで済むキットも販売されている．

3. 注射筒へ新しい注射針を装着し，創縁から少し離れた部位の皮内に0.2〜0.5mL程度の局所麻酔薬を注入して，φ1cm程度の小さな膨疹を作る．このとき膨疹形成に時間をかけず，短時間で行う．
（☞ p.82「注射法」を参照）
4. この膨疹を基点にして，創に対して注射針を平行に，深部や周辺部に進める．

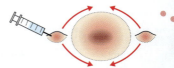

5. ある程度注射針を進めたら，その場で陰圧をかけ，血液が引けないことを確認して，麻酔薬を少量注入して，周囲に麻酔薬を浸潤させる．
6. 血液の逆流がないことを確認しながら，麻酔薬を注入しつつ，基点の膨疹に向かって少しずつ針を抜いていく．

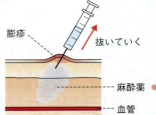

- 緊張感からくる血管迷走神経反射を防ぐために，これから行う手技の内容を患者へ十分に説明する．
- 手技の途中（麻酔薬を注入したときなど）に適宜，意識の状態や痛みの程度を確認するために患者へ声をかける．
- 麻酔は効果発現まで約3分間かかるため，切開などの処置を始める前に効果を確認する．

- 麻酔薬がビニールアンプルの場合，注射筒を接続して陰圧をかけると同時に，介助者がポリアンプルを押し潰すと，簡単に麻酔薬が注射筒に移る．

- 薬液を移す際に用いた注射針をそのまま用いてしまうと，針先がシャープではなくなっているので，患者は痛い．患者に針を刺すときは，必ず新しい注射針を用いること．

- 創部への麻酔の場合，創縁からやや離れた部位に膨疹を形成する方がよい．しかし，創が十分に清潔な場合は，創縁の内部から麻酔薬を注入し，より痛みを軽減することもできる．

擦過傷程度の場合
- 傷にキシロカインゼリー®を塗布し，ラップを貼って10〜15分ほど待つことで局所浸潤麻酔が完成する．

- 血管内へ麻酔薬が注入されないようにする．

伝達麻酔（神経ブロック）

■指の麻酔の方法（Oberst法）

1. 指の基節骨の両側から刺入．
2. 伸筋，屈筋腱のそばを通る神経周囲に局所麻酔薬を浸潤させる．ただし，循環障害を生じる危険があるので，1カ所に3mLまで．
3. 注入後10～15分間待つ．

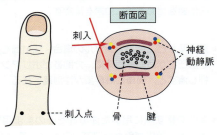

《Oberst法》

●合併症
- 出血，炎症，壊死，神経損傷
- 麻酔薬アレルギー（全身発疹，血圧低下，気管支痙攣など）
- 血管迷走神経反射（針を刺されることによる）

●術後検査
- しびれなどの自覚症状の有無の確認
- 止血の確認

患者説明のポイント
- 万が一痛ければ麻酔を追加できることを伝え，安心させる．
- 「麻酔薬や針を刺すことで，体がビックリして，気分が悪くなったり，血圧が下がったりすることもあるが，迅速に対応する」ことを伝え，安心させる．
- 麻酔は痛みをとっているだけなので，押される感じや触られている感じ（知覚）は残っていることも伝える．

- 強い痛みを伴うため,針は27Gくらいの細いものを選択すること.
- 圧がかかるため,針と注射器の接続部位が外れてしまうことがあるので,しっかりと押さえて接続する.

- 指の根元を包帯や紐で縛ると麻酔の効きが良い(処置の間のみ).

> **Memo** 局所麻酔薬中毒
>
> - 通称「局麻中毒」は,あらゆる局所麻酔薬で生じる可能性があり,発症までの時間は様々である.興奮,多弁,口唇や舌のしびれなどが生じ,次第にけいれん,意識消失,呼吸停止に至ることがある.また,頻脈や不整脈などから伝導障害,血圧低下,心静止など循環虚脱に至ることもある.これらを予防するためには,患者の状態によって薬物動態が変化することを意識しておくこと,また,局所麻酔薬の投与量や投与方法(少量分割など)の工夫をすることが重要である.さらに,症状が出現した場合にすぐに対応できるような事前の準備と十分な観察やモニタリングが必要である.この概念を理解したうえで,処置に臨むべきである.
>
> **参考**:局所麻酔薬中毒への対応プラクティカルガイド(2017年6月策定,日本麻酔科学会)
> (https://anesth.or.jp/files/pdf/practical_localanesthesia.pdf)

- 転倒して頭をぶつけることもあるので,始めから臥位にして処置をしたほうが,より安全なこともある.

擦過傷がある場合,創部の汚染に対してブラシでゴシゴシと洗浄しなければならない.ただ,この洗浄は非常に痛みを伴うため,患者からは敬遠される.そこで,洗浄の前に「ラップにキシロカインゼリー®をたっぷりつけて,傷にかぶせて10〜15分ほど待つ」ことで簡便な局所麻酔が完成する.これで洗浄前の注射での局所麻酔を避けることができ,患者の苦痛を和らげることもできる.患者にも医療者にも優しい局所麻酔である.

21 創部消毒・ガーゼ交換

Wound sterilization and dressing changes

● 目的
- 創部の清潔を保つこと（清潔・不潔の概念をしっかりもつ）．

■ 消毒（創部に限らない）
- 消毒の種類と意図，作用，効果を学ぶ．
  （☞ p.282〜283を参照）
- 創部の感染を防ぐ．
- 日本の水道水は非常に「きれい」であり，最近は消毒薬を用いた創部消毒をせず，水道水で創部の洗浄を行う傾向にある．なお，水道水に貯水槽の水を利用している施設では，レジオネラ感染に注意する．

> **Memo　言葉の定義**
> - **滅菌**：すべての微生物を殺滅，除去すること．
> - **消毒**：生存する微生物の数を感染症が生じないレベルに減らすこと．

■ ガーゼ交換
- 創部の出血量，滲出液の量，縫合状態，炎症症状（発赤，腫脹，疼痛など），感染徴候などの様子を観察する．
- 術後の場合は，ドレーンの状態も観察する．
- 交叉感染を起こさない．

● 準備物
- [ ] 摂子
- [ ] 膿盆
- [ ] 万能つぼ（消毒薬，綿球），もしくは，ディスポーザブルタイプ
  （消毒薬の種類に関しては☞ p.282〜283を参照）
- [ ] マスク
- [ ] 滅菌ガーゼ，ドレッシング材

●処置開始前の準備
- 消毒しやすい体位・肢位をとる.
- 清潔野を確保し,ガーゼなどの物品を手の届く位置に置く.

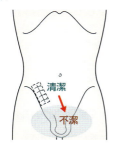

創部が最も清潔であり,創部から離れるに従い不潔となる.
陰部や関節の内側などの寝汗や垢がたまる部位,衣類や寝具との接触がある部位は最も不潔と考える.

> **Point** ●消毒や洗浄は清潔野から不潔野へ向けて行う.

●合併症
- 創部のトラブル(離開など)
- 術者の感染
- 当該患者の創部感染が他の患者の創部に感染する.

患者説明のポイント
- 創部に感染がない場合は,毎日の消毒は不要であり,創部を清潔に保つことが重要であるため,シャワー浴を勧める.
- 下腹部などの汚染しやすい創部は,糞尿の付着や汗で不潔にならないように注意を促す.
- 創部に感染徴候が認められた場合,その旨を説明し,自覚症状に関して,注意深い観察をしてもらう.

手順

消毒全般

1. マスクを着け，十分に手洗いをして，速乾性のすり込み式手指消毒剤をすり込む．この手洗いと消毒剤のすり込みは，他の患者へ感染を持ち込まないためにも，1患者1回が原則である．手袋（非滅菌手袋も可）も，自分の感染予防と他の患者へ感染を持ち込まないために1患者1手袋とする．

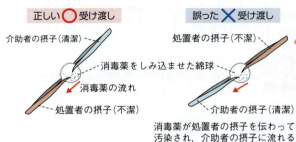

2. 創部の状態，出血や滲出液の程度と量を観察する．

3. 消毒薬は消毒面に対して一方向性に塗る．なお，創部が2カ所以上ある場合は，交叉感染に注意する．

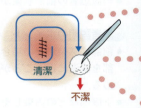

4. 滅菌ガーゼで創部を保護し，テープで皮膚とガーゼを留める．創部の汚染リスクを下げるために，創部に一度置いたガーゼは動かさない．

5. 術前や創部縫合前の消毒操作は，以上の流れで行う．なお，術後や縫合後などの創部に対しては，十分な水道水による洗浄のみで積極的に消毒を行わない方針の施設も多い傾向にある．

- 不潔に注意.
- 手は,「1患者1消毒」,「1患者1手袋」.

- 介助者から消毒薬が過量とならないよう搾った綿球を受け取る.

- 処置者の摂子は不潔と考え,処置者と介助者の摂子同士が触れないように注意し,処置者の摂子から薬液などが介助者の摂子へ伝わらないように受け渡しの高さにも注意する.

- 消毒野は,実際に掛ける穴あき滅菌ドレープの窓よりも大きくする.

- 創部の清潔を保つため,創部の中心から周囲に向かって,円や四角形を描くように(同心円状に)消毒薬の塗布域を広げる.けっして,創部の周辺部から中心部へ向かってはならない.

- ポビドンヨードは高い殺菌力を得るためには,塗布後,2〜3分間が必要とされる.目安としては,乾燥するまで待って処置を開始する.

- ドレッシング材を貼る場合は,周囲の消毒薬が乾いてからでないとすぐに剥がれてしまうので注意する.

ガーゼ交換

1 原則，清潔操作．(☞ p.228「創部消毒」を参照)

2 ガーゼを剥がす際，テープによる皮膚の剥離に注意する．皮膚かぶれや水泡ができている場合もあるのでていねいに剥がす．

3 剥がしたガーゼ，テープ類は，必ず膿盆の上に置く．その他の場所に置くことは院内感染の原因になりやすいので注意する．

4 創部やドレーンの変化，剥がしたガーゼに付着した出血，滲出液，臭い（悪臭の有無）などを観察し，異常があれば上級医へコンサルトする．

5 異常がなければ，創部を水道水，または生理食塩水で洗浄し，ガーゼを置く．なお，浸潤環境を保つためガーゼではなくドレッシング材を用いる傾向にあるが，創部の状況に応じて対応が変わるので，わからない場合は上級医へコンサルトする．

6 むやみな消毒は良質の線維芽細胞などを死滅させ，かえって創部の治りを悪くする可能性があるため，消毒は創周囲の皮膚にとどめるほうがよい．

- ガーゼは，ていねいに創方向に沿って剥がす（創部が開かないように注意する）．滲出液や血液などで創部とガーゼが付着して剥がしにくい場合は，生理食塩水などで濡らしながら剥がす．

- 創部の感染徴候に注意

- 清潔なガーゼを創部に沿って置く．

- 良質な創部をむやみに消毒しない．

> **Memo** 縫合創のガーゼ交換
>
> 縫合した創は，48〜72時間程度で上皮化が起こるため，その後の毎日のガーゼ交換は不要といわれているが，創部の観察のために毎日行う場合もある．順調な経過の場合，48時間目以降は湿潤環境を保つ目的でドレッシング材を貼り，汚染がなければ経過観察のみで消毒は行わない場合もある．（☞ p. 255 Point を参照）

22 簡単な切開排膿

Incision and drainage

目的
- 感染巣より膿をドレナージすることにより感染をコントロールする．

適応
- 皮下，皮膚に膿瘍を形成する感染巣
- 深在性膿瘍（肛門周囲膿瘍，Fournier症候群，壊死性筋膜炎，ガス壊疽）

準備物
- [ ] 消毒セット（消毒薬，滅菌綿球，皮膚消毒用鉗子）
- [ ] 手術用帽子，マスク，滅菌手袋
- [ ] 穴あき滅菌覆布，滅菌覆布
- [ ] 局所麻酔セット（局所麻酔薬，注射器，18G薬液吸引用注射針，25〜27G皮膚局所麻酔用針）
- [ ] ガーゼ
- [ ] 小切開セット（メス，ペアンなど）
- [ ] ドレーン（ペンローズドレーンなど）

合併症
- 出血
- 感染
- 創痕

処置開始前準備
- 膿瘍の確認をする．
  皮膚：蒼白で菲薄化し柔らかく触れる．
  波動：炎症の最強点に向かい，周辺から皮膚を寄せるように圧迫し中心に波動が触れる．

- 切開を加える以上，どうしても創が残る．患者にとって利益の方が大きい場合のみ切開排膿する．
- 顔面など目立ちやすい場所の場合は，膿の穿刺吸引などにて対応する方法もある．

処置前の患者説明
- 感染巣の早期治癒，腫脹による疼痛の軽減のために切開が必要．
- 切開する以上，きずあとが残る可能性がある．
- 皮膚の麻酔時に痛みを伴うが，麻酔を十分に行い痛みをできる限りなくして行うこと．麻酔後もし方が一痛かったらいつでも麻酔を追加できる．
- 患者を不安にさせすぎない程度に，出血などの大きな合併症についてだけはあらかじめ説明しておく方がよい．

- 蜂窩織炎のみで膿瘍形成がない場合も多く存在する．膿瘍形成の有無は慎重に観察する．

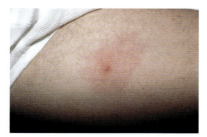

《膿瘍の確認》
(Goldman：Cecil Medicine, 23rd ed, Chapter 467, 2007)

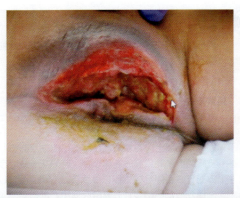

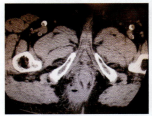 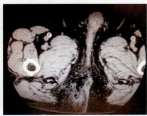

《Fournier症候群》

▼ 手順

1 麻酔

患部を消毒のうえ，切開を予定している範囲の皮内，皮下に局所麻酔を行う．
（詳しくは☞ p. 222「局所麻酔法」を参照のこと）

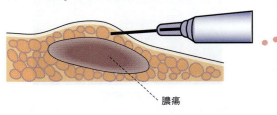

膿瘍

> **Memo** 危険な皮膚軟部組織感染症
>
> - 肝障害の既往，易感染（糖尿病，ステロイド使用），魚の食用，急激に広がる蜂窩織炎，紫斑，激しい疼痛……壊死性筋膜炎を疑う．
> - 会陰部の発赤，蜂窩織炎……Fournier症候群を疑う．
> - 易感染，皮下気腫，紫斑……ガス壊疽を疑う．
>   ▶ 上級医コンサルト．X線，CTでガス（air）確認，全身麻酔下で緊急切開ドレナージ！

- 炎症組織は血流が悪く麻酔が効きにくいため，十分に麻酔する．

処置中の患者説明
- 麻酔の針を刺すとき，切開を加えるときなどはあらかじめ声をかけながら施行する．
- 処置が順調に進んでいることを説明しながら行うとよい．

2 切開

尖刃刀を用いて膿瘍の中心に切開を加える．

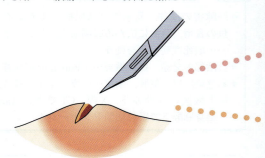

3 排膿

モスキート鉗子，ペアン鉗子などで切開創を十分に広げ，十分に排膿する．
排膿を促すために必要に応じてドレーンを挿入する．

●術後検査（排膿後の処置）

- ドレーンは排膿が認められなくなったら抜去する（ガーゼドレーンの場合は2日程度）（☞p.206「ドレーン・チューブの管理」を参照）．
- 排膿が続く，発熱，腫脹などの感染徴候が遷延する場合はドレナージが十分効いていない可能性が考えられるため，必要であればドレナージの追加，洗浄を考慮する．
- 必要に応じて抗菌薬内服，鎮痛薬を併用する．

- できる限り創が目立たないよう，かつ排膿させるのに十分な長さに切開する．
- 深さは膿瘍まで到達する深さで切開する．
- 皮膚割線に沿う方向で切開する方が目立ちにくい．

- 皮膚が厚い場合は，十字切開を加えることもある．

- 必要に応じ膿を培養検体として提出する．

- 必要であれば膿瘍腔内洗浄する．

- ガーゼドレーン，ペンローズドレーンがよく使用される．ナイロン糸の束と吸水力に富む創傷治癒剤を組み合わせたドレーンも提案されている．

終了後，患者説明
- 患者は緊張状態にある．「お疲れ様でした」などの声をかけ緊張を和らげる．
- 内服，創処置などの今後の方針について説明する．

23 皮膚縫合

Skin suture

● 目的
- 創面を密着させることにより創面を覆い，出血，疼痛，汚染，感染を防止して解剖学的にも美容的にも創治癒を早期に図る．

● 適応
- 創の閉鎖法としては一次縫合，二次縫合（遅延一次縫合），開放療法の3種類があり，創の汚染状態，感染の有無，組織欠損の大きさに応じて決定される．
- 創の洗浄化に努めれば多くは一次縫合が可能である．本項では一次縫合について述べる．
  （☞ p.288「糸結び（結紮）」を参照）
- **一次縫合禁忌**：golden hour（6〜8時間）を過ぎた傷，動物咬傷〔ヒト（fight bite），イヌ，ネコなど〕．
  ▶原則開放療法，顔面など場所によっては一次縫合する場合もあるが，その場合は専門医コンサルト．
- 創の評価が重要である．受傷機転や，受傷からの経過時間，受診までに処置を行ったかなど詳細に把握する．
  （☞ p.250「軽度外傷の処置」を必ず参照のこと）

● 合併症
- 出血，感染，誤った縫合による変形．

● 準備物
- ☐ 滅菌手袋
- ☐ 穴あき滅菌覆布，滅菌覆布
- ☐ 局所麻酔セット（局所麻酔薬，注射器，18G薬液吸引用注射針，25〜27G皮膚局所麻酔用針）（☞ p.222「局所麻酔法」を参照）
- ☐ ガーゼ　☐ 洗浄用生理食塩水，ブラシ
- ☐ 縫合セット（持針器，摂子，クーパーなど）
- ☐ 縫合用の針，糸（セットになっているものもある）

● 処置開始前準備,麻酔,創評価
(☞ p. 250「擦過傷・切傷・挫創」を参照)
● 除毛,剃毛
- 体毛が邪魔になる場合のみ必要最小限に行う.体毛の存在による感染率に差はない.

- 眉毛は絶対剃毛しない!
生えてこなくなる.

- 剃毛の際は,カミソリなど皮膚を傷つけるものでなく,クーパーなどを利用する.
- おおむね7日程度で抜糸となる.足底は10日程度,顔面は4日程度(抜糸までの入浴等については,☞ p. 255 Point を参照).

> **Memo** 二次縫合(遅延一次縫合)
>
> - 受傷から6時間以上経過していたり,汚染の強い汚い創であったりすると,縫合しても化膿し,結局のところ経過中に抜糸して創を開くことになる可能性が高いため,受診日当日には縫合せずに,4〜5日おいてから改めて縫合処置をすることをいう.

▼ 手順

結節縫合

1 右手に持った持針器で針を皮膚に刺入し，同側の創縁に出す．

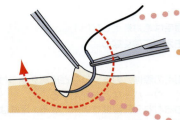

2 対側の創縁から針を刺入し皮膚に出す．

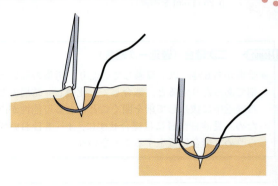

3 深さ，幅，縫合間隔が均一になるよう縫合する．
（☞ p.288「糸結び（結紮）」を参照）

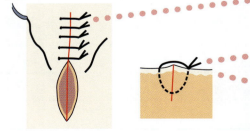

糸の選択
- 縫合糸は対象組織を寄せることのできる最も細い糸を選択する.
- 創感染率が低いナイロン糸を使用する.
- 体幹, 四肢, 頭皮: 3-0 ～ 5-0 ナイロン
- 顔面: 6-0 ～ 7-0 ナイロン

- 摂子を左手に持ち, 針の刺入点の近くの皮膚を把持固定すると操作しやすい.

- 針は皮膚にほぼ垂直に刺入する.

- 縫合の間隔は広くても1cm程度, 幅も1cm程度とする.

- 創の両側で同じ深さと幅になるように注意する.

- 抜糸の際につまみやすいように残す糸は長めにする (特に頭皮).

垂直マットレス縫合

1 右手に持った持針器で針を皮膚に刺入し，対側の皮膚に出す．

2 出した方の皮膚のさらに創縁に近いところに刺入し，創縁の深さが真皮下の所に出す．

3 対側の創縁の真皮下に刺入し，皮膚に出し，結紮する．

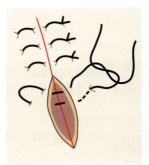

- 創に緊張がかかる場合に適応.
- 深い創,平面でない創や厚さが異なる組織どうしの縫合にも有効.

理想的な創の断面
- 相対する創面の各創が一致するように縫合する.また,皮下組織が密着するように表面が食い込むことがないように縫合する.

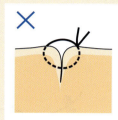
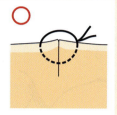

ナートしていいですか?

各手技において,その施行にあたり指導医が研修医の経験値を上げるためにOKを出す訳であるが,本当にそれだけで良いのだろうか?

本書の中でも,縫合については研修医が早い段階で行いたい・行う手技であろう.

シミュレーション器具等で練習の上でデビューを果たすであろうが,仮に自分が顔面に縫合の必要な創傷を負った際に,隣にいる同僚に縫合してもらう/させてあげられるであろうか?

そこでOKと言えないのであれば,その同僚が他の患者の縫合にあたって良いのであろうか? 手技の施行にあたってOKを出すのは同僚であっても良いのでは? とも考える筆者である.

器械結び

1 両側の創縁を針で貫通させた後,右手に持った持針器に左手で持った針糸を時計回りに2回巻きつける.

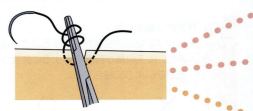

2 糸が巻きついた状態の持針器で糸の最後尾をつかみ引っ張る.

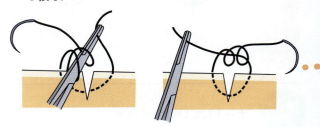

3 同様の方法で反時計回りに1回巻きつけ結紮し,さらに時計回りに1回巻きつけ結紮する.
ナイロン糸での縫合は外れやすいので,結紮回数を計4回ほどにする.

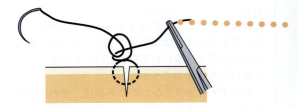

● 縫合後処置

☞ p.250「擦過傷・切創・挫創」を参照のこと.
(他の縫合法,糸結びは☞ p.288「糸結び(結紮)」を参照)

- 死腔を残さない,縫合糸痕を残さない.
  ▶創縁が密着する最小限の力で縫合する.力いっぱい締めることはしない(皮膚壊死を起こすため).

- 組織は可能なかぎり愛護的に操作し,損傷している組織の各層どうしが正確に密着するように意識して処置を行うことが重要.必ずしも各層個別の縫合は必要ではない.

- 死腔が残りそうな場合にはドレーンを適宜留置する.

- 長い創の場合,創の中心から合わせるとあわせやすい.
- Y字型の創の場合,Y字縫合を考慮する.
- 楔形など,角がある創の場合は,角から合わせるとあわせやすい.

- 糸の細い場合(6-0など),さらに1回半時計回りに巻きつけ結紮してもよい.

スキンステープラーについて

　スキンステープラーとは，皮膚縫合用の金属製のステープラー（ホチキス）のことである．

　手技の時間短縮，縫合痕が残らないなどの長所もあるが，抜鈎の際は専用の器具が必要になる，患者にとって痛みが強い，皮膚が動くところはつきにくいなどの短所もある．

ステープラー

抜鈎器

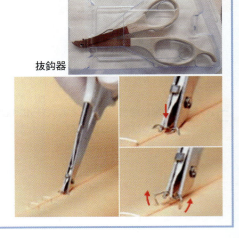

創のテープ固定（ステリテープ）

　切創などで縫合せずにテープ固定（皮膚接合用テープ，ステリストリップ™など）で治癒が図れる場合がある．

　適応となるのは，浅い切創など縫合により組織を「寄せる」必要がない創で，受傷後短時間である，出血が止まっている，浸出液が無い，感染が無い，血流の良い場所である，可動部位（関節）の創ではないなどの条件が揃っている創である．

　創処置が縫合のように痛くないので，局所麻酔が必要なく，抜糸の手間も要らないなどのメリットがある．

　テープが濡れるなどして剥がれる，または患者が剥がしてしまうと一次治癒は期待できない．縫合と同様に創縁をきれいに合わせて，1週間ほどは固定できていることが重要．

創に対して垂直にステリテープを貼る．

創の固定を強化する場合は，創に平行にテープを加えてはしご状にする．

24 軽度外傷の処置

Minor trauma

擦過傷・切創・挫創

● 処置開始前準備
- 受傷時間，受傷機転の把握．
- 早期加療が必要な深部組織損傷が疑われる場合は，速やかに上級医や専門医にコンサルト．

■ 擦過傷
皮膚のすりむけた傷．いわゆるすり傷．

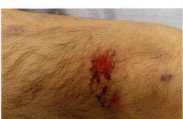

■ 切創
鋭利な刃物によって作られた創縁平滑な創．

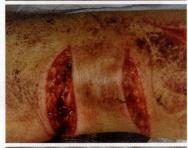

■ 挫創
鈍的外傷によってできる皮下組織に達する創．創縁や創面，周期組織の挫滅がある．

- 異物が混入していそうな場合（ガラス片など），骨折の合併が疑われる場合は，縫合処置の前にX線撮影を行い異物，骨折の確認をする．

- プラスチック，ビニール，ゴム製品，コルクなどレントゲン透過性の異物ではX線検査での確認が困難なこともある．

挫傷と挫創について

- **挫傷**：強い外力が原因でできた傷で，皮膚が破れていないもの．いわゆる「打ち身」．
- **挫創**：強い外力が原因でできた傷で，皮膚が破れたもの．

切断四肢（指趾）の保存

- 表面の異物・汚染物を可及的に除去したのち，濡らしていない，または固く絞った生食ガーゼにくるむ．
- ガーゼごとビニール袋に入れ，ビニール袋の外側を氷水などで冷却する．

■ヒト咬傷（fight bite）
- ヒトに咬まれた後数日経過した初診時の創の状態．

■犬咬傷
- 牙による創に比し，腫脹部位は大きい．（…点線マーキング部）

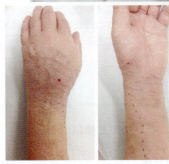

●麻酔
- 縫合処置に関わる部分に麻酔する．
（麻酔については☞ p.222「局所麻酔法」を参照）
- 擦過傷であればキロカインゼリー®にて浸潤麻酔でもよい．（効果発現まで10〜15分ほど待つ）

●洗浄
- 水道水または生理食塩水で創内，周辺皮膚を十分に洗浄し，砂などの異物，凝血塊，組織に入り込んだ汚れを洗い流す．

●創評価
- 洗浄後，再度創内を観察する．
- 右記の損傷が認められた場合，専門医コンサルト．

●止血
- ほとんどは5〜15分の出血部位の直接圧迫止血のみで止血可能．
- アルギン酸塩（カルトスタット®等）使用の場合もある．
- 四肢の動脈性出血の場合は，マンシェットやターニケットによる中枢側の間接圧迫止血も併用する場合もある．

犬・猫咬傷よりもヒト咬傷の方が創の予後は悪いことが多い．

 場合によっては鑷子，綿球，ブラシ等を利用し，汚れを完全に除去できるようにする．

- 洗浄の際，日本では水道水を利用しても生理食塩水を利用しても感染率には差はない．
- 重要なのは大量の水を使い洗浄すること．

- 砂，泥が混入したまま創閉鎖してしまうと，「入れ墨」様になってしまう（外傷性刺青）．
- 完全に異物が除去できるよう洗浄することが重要である．

 消毒薬は細胞毒性により使用されない傾向にある（各施設の方針に従う）．

> **Memo コンサルトすべき損傷**
> - 顔面：骨折，髄液漏，涙小管・耳下腺管・顔面神経損傷
> - 頸部：頸動脈・頸静脈損傷，迷走神経・副神経損傷
> - 四肢：血管・腱・神経損傷，離断

 むやみに焼灼したり，縫合止血したり，盲目的に鉗子で把持すると，周囲の重要組織損傷を引き起こすため注意．

▼ ドレッシング 手順

1 縫合創の場合，非固着性のシリコンメッシュ（アダプティック®など），生食ガーゼで被覆して軽く圧迫固定する．
挫創，浸出液が多そうな擦過傷はハイドロサイト®，ごく浅い擦過創ではガーゼつきフィルムドレッシング（Opsite Post Op®など）を用いて被覆してもよい．

2 創周囲に付着した薬剤や血液はきれいに拭き取る．頭皮であれば洗髪してもよい．

3 必要に応じ抗菌薬，鎮痛薬を処方する．

患者説明のポイント
- どんな創であれ痕が残る．安易に「きれいに治ります」などと言わない．
- 麻酔時の針は見せない方がよい（恐怖心がでる）．

Point その他の注意事項（縫合した場合）

- 抜糸まで入浴や洗髪・洗顔を禁止する必要はなく，むしろ積極的に入浴させるようにする．
  （縫合創はガーゼなどの被覆を外して，しっかりと泡立てた石けんでやさしく洗う．ぬるま湯のシャワーで石けんをしっかりと流し，きれいなタオルなどで擦らないように水分を拭って，再度被覆する．長時間浴槽に浸けると，皮膚がふやけて創傷治癒の妨げになるので避ける）．
- 毎日の通院は不要．通院はガーゼ交換のためではなく，創の観察のために行う．
- 創を観察して炎症，感染徴候，創の離開の有無を確認する．
- おおむね7日程度で抜糸となる．足底は10日程度，顔面は4日程度．

Memo 感染予防

- 抗菌薬が絶対に必要な創
  ・動物（ヒトを含む）咬創
  ・すでに感染している創　　のみ
  その他の場合には不要
- 原則として全例，破傷風に対する予防接種の状況を把握したうえで，必要な対処を行う．（☞ p. 284 参照）

24 軽度外傷の処置

> **Memo** 創傷被覆材・保護材の例と特性

※（ ）内は商品名

分類	特性
●皮膚欠損用創傷被覆材	
ハイドロポリマー (ティエール)	滲出液の吸水能が高い．滲出液があるとその方向に向かって膨化する．
ハイドロファイバー (アクアセル)	滲出液の吸水能が高い．ゲルを形成するため皮膚に残留しにくく除去しやすい．
アルギン酸塩，アルギン酸銀 (カルトスタット ソーブサン アルジサイト)	滲出液の吸水能が高い．(自重の約20倍)カルシウムイオンによる止血効果を有する．
カニ甲羅キチン質 (ベスキチン)	生体親和性が高く，肉芽形成を促進する．
ポリウレタンフォーム (ハイドロサイト)	滲出液の吸水能が高い．(自重の約10倍)クッション性により創部を保護．内側が非固着性のため創傷面を損傷しない
ハイドロコロイド (デュオアクティブ，レプリケア)	防水性が高い．
ハイドロジェル (グラニュゲル)	約60〜90％が水分で創面の湿潤環境を保ち壊死組織の自己融解，肉芽形成や上皮形成を促進．
●皮膚保護用被覆材	
ハイドロコロイド (ビジダーム)	閉鎖した褥瘡の瘢痕部を保護．二次的ドレッシング．医療機器ではない（雑品扱い）．
ポリウレタンフィルム (テガダーム オプサイトウンド パーミエイド)	閉鎖した褥瘡の瘢痕部を保護．二次的ドレッシング．水蒸気や酸素が透過でき，中が蒸れない．

多 ↑ 滲出液 ↓ 少

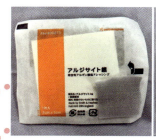
アルジサイト

ハイドロサイト

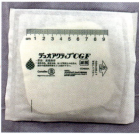

デュオアクティブCGF（左：ウラ，右：オモテ）

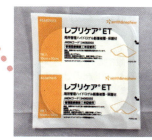

レプリケア（左：オモテ，右：ウラ）

打撲・捻挫・(転位のない骨折)

●目的
- 打撲・捻挫の合併症を診断するとともに,速やかな改善をはかる.

●診察
- **受傷機転の把握**:どのような機転で受傷し,どこが痛むのか問診する.
- 抗血栓薬の内服や出血傾向のある既往歴がないか確認する.
- 圧痛部位の軋轢,感覚異常,腫脹,血行障害の有無を確認する.
- 四肢の場合は末梢側の運動異常,感覚異常の有無も確認する.
- 関節の場合,関節可動性も確認する.
- 骨折の可能性があればX線撮影を考慮する.

■診察に重要な5つのP

Pain(疼痛)	損傷に程度に合わない激しい痛みが特徴.通常この疼痛は麻薬系鎮痛薬を用いても症状が軽快しないことが多い.また,外傷を受けた筋区域の筋肉を伸展されることで痛みが増強する.
Paresthesia(感覚異常)	しびれ感として,コンパートメント症候群では一般的な所見.疼痛に遅れて出現するが,下記の3つのPよりは早く出現する.
Pallor(蒼白) **Pulselessness**(末梢動脈の拍動消失) **Paralysis**(麻痺)	末梢皮膚が冷感や蒼白を呈し,脈の触知が不能となるのはさらなる筋区画内圧の上昇を意味し,コンパートメント症候群の末期症状であり,しばしば不可逆的である. (☞ p. 264 COLUMN「コンパートメント症候群」参照)

- 外傷の程度と合併症の評価が大事.

- 受傷機転の原因も確認する. 外傷以上に重大な内因性疾患が隠れている場合がある.
  (例:不整脈で気を失い転倒し打撲など)

- 明らかな受傷機転がなくても疲労骨折, 病的骨折の可能性あり.
- 局所の痛みがある場合は骨折を疑い診察する.

- 四肢の場合, 健側と比較するとわかりやすい.
- 小児の場合は健側と比較しないとわからないことが多い.

- X線写真上骨折がなくても, 捻挫, 靱帯損傷, X線写真に写らない骨折の可能性もある.

- 骨折の近くに裂創, 挫創がある場合は開放性骨折と考える.

- 多発外傷などで鎮静・鎮痛を行っている際は"Pain"が患者の訴えとして表現されないので, より注意する必要がある.

見逃してはいけない合併症

- 骨折，動脈損傷，神経損傷，臓器損傷，コンパートメント症候群などがある．
  （コンパートメント症候群は☞ p. 264 COLUMN 参照）
- また高齢者では，結合固有組織が疎なため，広範囲の打撲だけでも多量の軟部固有組織内出血（noncavitary hemorrhage）をきたし，容易に出血性ショックとなる．

治療

- 必要な場合は専門医にコンサルトする．
- 急性期の治療は"RICE"である．
- 骨折の場合はギプス，またはシーネにて固定し，後日整形外科受診を指示する．
- 関節部の捻挫，打撲で関節可動に伴い疼痛がある場合はギプス固定してもよい．（☞ p. 78「包帯法」を参照）
- 必要に応じて鎮痛薬を処方する．

患者説明のポイント

- （X線写真上で骨折がはっきりしなくても）単純に打撲だけであると断言はできないと説明する．
- 上記合併症についてはよく説明し，異常な痛さやその他の症状がある場合は速やかに受診するよう説明する．

 固定と良肢位について
- 固定は原則，受傷部位をはさんだ2関節を固定する．
- 関節を良肢位にして固定する．

※良肢位とは，罹患関節に運動制限があっても日常生活に支障が少ないとされる肢位である．拘縮が生じたときの関節機能障害を最小限にとどめる．

肘関節	90°屈曲
前腕	回内・回外中間位
手関節	10～20°背屈位
手指	軽くボールを握るような屈曲位，母指は対立位 ※手指は骨折部位によりMP，DIP，PIP関節の固定肢位が変わるので，実際の固定の際は成書参照
膝関節	10～20°屈曲位
足関節	中間位（0°背屈位）

> **Memo** 専門医にコンサルトすべき骨折
> - 開放骨折（疑わしい例も含め）
> - 関節面にかかる骨折
> - 血行，神経障害がでている骨折
> - コンパートメント症候群

> **Memo** "RICE"
> - **R**est：安静
> - **I**cing：冷却
> - **C**ompression：圧迫
> - **E**levation：挙上

湿布について

- 湿布は基質の違いからパップ剤とプラスター剤に，温感の違いから冷湿布と温湿布に分類することができる．接触性皮膚炎や，貼付後の光線過敏などの副作用が起こりえること，冷却効果は少ないことに留意する．
- **パップ剤**：水溶性の高分子基剤に薬剤を含有している．いわゆる「白い湿布」．急性期に使用される場合が多い．
- **プラスター剤**：脂溶性の高分子基剤に薬剤を含有している．いわゆる「茶色い湿布」．はがれにくく，慢性期に長期使用する場合が多い．
- **冷湿布**：局所刺激剤のサリチル酸メチル，サリチル酸グリコール，L-メントールなどを含有している．パップ剤の冷湿布の場合，この薬剤による冷感と基剤水分の気化熱で冷やしている．しかし，外傷急性期の場合はアイシングの方が冷却効果に優れている．
- **温湿布**：唐辛子エキスを含有し，血管拡張，皮膚刺激により温感を得ている．

> **Memo** 足関節骨折評価のX線撮影の適応

■足関節骨折の評価(Ottawa Ankle Rule)

●足関節捻挫の患者で以下の場合にX線撮影を考慮する.

足関節(以下のいずれかがある場合X線撮影オーダー)
① 外果先端より6cmまでの後方に圧痛がある(図**a**).
② 内果先端より6cmまでの後方に圧痛がある(図**b**).
③ 受傷直後および来院時に患肢で4歩以上荷重できない.

足部(以下のいずれかがある場合X線撮影オーダー)
④ 第5中足骨基部に圧痛(図**c**).
⑤ 舟状骨に圧痛(図**d**).
⑥ 受傷直後および来院時に患肢で4歩以上荷重できない.

※X線撮影不要でも固定は必要の場合はある.
※18歳以下の小児は対象外.
※3mm以下の剥離骨折は見逃す可能性あり.

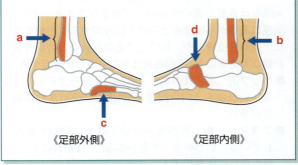

《足部外側》 《足部内側》

(*Ann Emerg Med* 21:384-390, 1992)

> **Memo** 膝関節骨折の評価 (Ottawa Knee Rule)

● 急性鈍的膝部外傷にて　以下のいずれかがある場合はX線撮影オーダーする.

①55歳以上.
②腓骨骨頭に圧痛.
③単独の膝蓋骨圧痛.
④膝を90°曲げられない.
⑤受傷直後および来院時に患肢で4歩以上荷重できない.

※X線撮影不要でも固定は必要の場合はある.
※除外基準：18歳以下の小児，意識障害，妊婦，同日再診，対麻痺，交通外傷.

(*JAMA* 278：2075-2079, 1997)

> **Memo** 頸椎の評価 (Canada C-spine Rule)

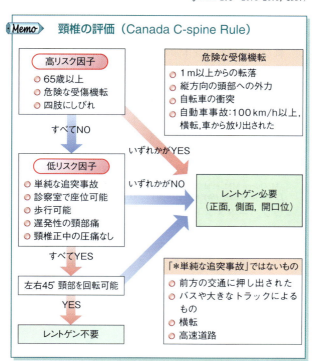

(*JAMA* 286：1841-1848, 2001)

コンパートメント症候群

- 筋区画の限られた箇所（筋膜，骨，骨間膜に囲まれた区画）の組織圧力が高まり，筋肉に血液を供給する細静脈・細動脈の圧力を上回った状態が進行することで末梢循環が障害され，その結果筋肉の虚血と浮腫が生じ，最終的には筋肉と神経組織が壊死に至る状態．
- 主な原因としては，打撲以外にも，骨折，挫滅外傷，出血・血腫の形成，受傷機転としての圧挫，筋腫脹（血行障害による虚血からの改善後），キャストやドレッシング，ショックパンツなどがある．
- コンパートメント内の圧力を測定するにはさまざまな方法があるが，診断のゴールドスタンダードは詳細な病歴聴取と身体診察である．場所としては，前腕部掌側と下腿前面が一般的に多いが，下腿深部後面コンパートメントによるものは最も見落とされやすいため注意が必要．人体には胸腔，腹腔などを含めると40以上ものコンパートメントが存在し，そのほとんどでコンパートメント症候群が報告されているが，おおよそ70％は四肢で起き，その半数が脛骨骨折に伴うものと言われている．

(McQueen MM, et al：Acute compartment syndrome. Who is at risk？ *J Bone Joint Surg* (*Br*) 82：200-203, 2000)

- コンパートメント症候群の治療としては，減張切開が唯一効果的であり，神経の虚血症状である知覚鈍麻が出現する前に予防的に行われるべきである．患部を心臓よりも上に挙上することや，血圧を正常範囲に保ち細動脈充満圧を維持することで，一時的に予防することも可能である．

(詳細は☞『当直医マニュアル』の「コンパートメント症候群」を参照)

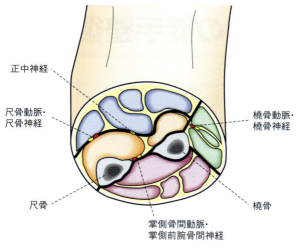

《前腕のコンパートメント》(前腕中央部断面)

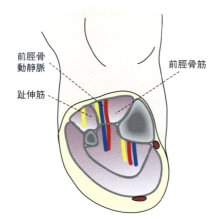

《下腿のコンパートメント》(下腿中央部断面)

筋区域の筋肉の伸展による痛みの増強の例
- 下腿後面のコンパートメント症候群の場合は，足・足趾の後屈で痛みが生じる．

25 脱臼の徒手整復

Dislocation

顎関節

- 顎関節の脱臼整復は基本的にはシンプルであるが，咬筋の収縮に対抗して整復しないといけないため，ときに難しい．他の整復と同様に，適切な鎮静・鎮痛が必要な場合がある．
- 外傷による脱臼の際は，下顎，顎関節，歯科パノラマX線などでの評価が必要である．

手順

1. 患者の前に立ち，両手で下顎を掴む．
2. 両母指を口腔内へ入れ，臼歯の後方辺りで内側から下顎を掴む．それ以外の指で下顎を外側から把持する．
3. 下顎を下方へ押し（①），そのまま後方へ圧をかけていく（②）．
4. そのまま押し続けると，上方へ導かれるような感じがして，整復される．

整復後
- 整復後1週間は，大きく口を開ける動作をしないようにアドバイスする．また，食事も軟らかいものから始める．

手技とはアートかサイエンスか？

　非常に手技の上手い人がいる．流れるような手順で，時に蘊蓄を語りながら華麗に魅せてくれる．まさにアーティスト．そう思い，そんな人に憧れてその形を真似するのは愚の骨頂である．言うまでもなく手技はサイエンスに立脚したもの，基本をしっかり身につけて確実な手技を目指したい．一見アートに見えるがそこにはサイエンスに裏打ちされた数多くの経験があるのだから．

- 後ろが壁になるように患者に座ってもらうと，手技中（後方に押す際に）に頭部が逃げていかずに力がかけやすい．

- 臼歯の上に直接母指を置いて押すことも可能であるが，その際は整復後咬まれないように注意する．母指をガーゼなどで包んでおくと直接咬まれにくい．

- 筋の緊張もとるために，顎関節を10分ほどマッサージしてから行うとスムーズにいくことがある．
- どうしても戻らない場合には鎮静薬を使用して整復を行うこともある．

^c あくびをしたり，笑ったりという動作に注意する．

肩関節

●目的
- 肩関節の脱臼整復を行う．
- 肩関節は最も脱臼しやすい関節で，前方脱臼がほとんど（94％）．患側の肩を下げて肘を90°近く曲げ，健側の手で重みを支える姿勢で来院することが多い．

●準備物
- [ ] ディスポーザブル手袋
- [ ] 三角巾（整復後の固定用）
- [ ] 鎮静を行う場合（☞ p.70〜71 COLUMN「処置時の鎮静および鎮痛」を参照）

禁 忌
- 骨折（受傷帰転の問診およびX線撮影で骨折を否定しておくこと）

●手順
- 手技の方法としては，コッヘル法（Kocher's method）以外にも traction counter-traction 法，Stimson 法，ヒッポクラテス法（Hippocrates method）などがあるが，ここではコッヘル法を紹介する．ヒッポクラテス法は関節唇を損傷することがあり危険なため，基本的には専門医以外は行ってはならない．

●手技前
- 診断を確実に行い，肩関節脱臼自体の合併症（腋窩神経麻痺，骨折，腱板損傷）の有無の確認をする．

> **Memo**
>
> - 肩の外傷は脱臼だけではなく，上腕骨骨折，肩鎖関節脱臼，腱板損傷などとの鑑別も必要である．また腋窩神経麻痺は，初回脱臼の約30％に合併するので，三角筋外側（腋窩神経領域）の感覚のチェックは必要(右図参照)．

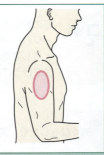

▼ 手順（コッヘル法）

1 上腕を体幹にくっつける．

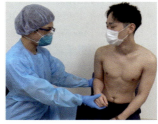

2 ギリギリまで外旋する．

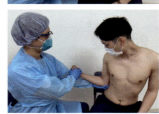

3 前へ上げていく（屈曲）．

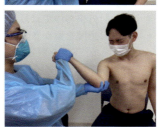

4 内旋する（終了）．コツンと音がして，整復される．

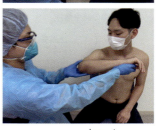

5 固定（初発は必ず固定が必要）

● 整復後
- 肩関節のX線撮影
- ベッドサイド超音波（POCUS）も，感度／特異度ともに優れる（*Ann Emerg Med.* 2020; **76**(2): 119-128. PMID: 32111508）

患者説明のポイント
- 若年者，初発では再発防止のため3週間以上の外固定が一般的であるが，習慣性脱臼は固定なし．

● 合併症
- 肩関節脱臼自体の合併症（腋窩神経麻痺，骨折，腱板損傷）

肘内障

● 概念
- 肘内障は主に子どもの腕を長軸方向に引っ張ることによって引き起こされる，橈骨頭から輪状靱帯がずれた状態．
- 小児の肘外傷の中では最も頻度が高い．
- 視診上は患肢を動かさず，回内下垂位となっている．
- 2歳が最多．「手を引っ張られた後，動かさない」という訴えが多い．

● 準備物：特になし

禁忌
- 骨折（上腕骨顆上骨折に特に注意）．

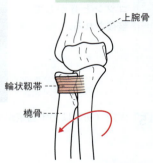

《肘内障の発生機序と整復操作》

手順

1. 患者の手をつかむ（自分の右手で，患者の患側の手をつかむ）．
2. もう一方の手で患者の肘を掴み，橈骨骨頭を押さえる．

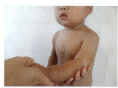

3. 前腕を回外し，そして肘関節を屈曲する．

4. 親指にクリックを感じるとともに整復される（クリック音を感じないときもある）．
5. 両手を挙上して整復を確認．

- 肩がはずれたと親が連れてくることがあるので，肩にのみフォーカスしていると診断が遅れる．また受傷機転は重要であるので，しっかり聴取する．

整復後の確認
- 通常はX線撮影の必要なし．お母さん（お父さん）に，だっこをうながすようにしてもらい，両手がしっかり上がれば整復はできている．

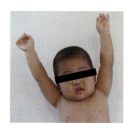

患者説明のポイント
- 再発防止のために，起こりうる受傷機転（子どもの腕を長軸方向に強く引っ張るなど）をわかりやすく説明することが重要．

合併症
- 骨折

26 軽度熱傷の治療処置

Burns

●目的
- 創面の乾燥を防ぎ，上皮化を促す．「軽症熱傷」とは，一般的に，顔面・手・足・会陰の熱傷，気道熱傷，軟部組織損傷や骨折を伴う熱傷のいずれもなく，Ⅱ度熱傷で15%未満のもの，Ⅲ度熱症で2%未満のものをいう．

●準備物
☐ 軟膏(白色ワセリンなど)，非接着性の被覆材，滅菌手袋

▼ 手 順

1. 早期であれば冷却を行い，また化学熱傷であれば洗浄を行う（熱湯によるものであれば，不要）．
2. 創面の評価．
3. ワセリンを含んだ軟膏で多めに覆う．
4. 非接着性の被覆材を当てる．
   （抗菌薬は不要．鎮痛薬は必要に応じて処方する）
5. 翌日専門医を受診するよう指示する．

患者説明のポイント
- 熱傷の深度は受傷当日には分からないことも多く，安易に深度について言及しない．
- 熱傷の応急処置であり，以後専門医の診察を受けてもらうことが早期治癒につながる．
- きちんと処置が行われていれば，受傷後早期からシャワーが可能（傷の場所や程度によって異なる）．
- 飲酒や喫煙は，傷が治るまでは控える．
- 傷の調子がよくない場合（出血が多い，傷やその周囲の赤みが強くなったり，腫れてきたり，熱をもったり，痛くなった場合）は速やかに受診する．

> **Point**
> - 熱傷の面積が少なくても気道熱傷を伴う場合は重症管理が必要（火事の主要な死因は気道熱傷である）．
> - **気道熱傷のサイン**：鼻腔の炎症，鼻毛がこげている，嗄声，咳嗽，喀痰の産生．

> **Point**
> - 消毒は行わない．

> **Point**
> - 水疱を除去するか温存するかに関しては，いまだに議論の分かれる部分であり，どちらを支持する文献も存在する．水疱の除去に関しては，はっきりした結論が出るまでは各施設の方針に従う．

> **Point**
> - 軟膏は多めに塗る．被覆材が創面に直接つくと，翌日以降の処置の際に強い痛みが生じる．

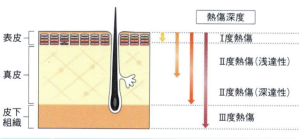

深度	所見	予後
Ⅰ度	発赤・腫脹・疼痛	5～6日で全治
浅いⅡ度	Ⅰ度に類似＋水疱形成（水疱下は鮮紅色）	14日以内に治癒，時に色素沈着あり
深いⅡ度	浅いⅡ度に類似＋水疱下が銀白色（真皮層露出）．注射針による局所痛なし	感染なければ3～4週間で治癒．瘢痕，ケロイド形成あり
Ⅲ度	黒色・黄褐色・灰白色の板状皮膚，局所痛なし	肥厚性瘢痕，ケロイド形成あり

《熱傷の深さ》

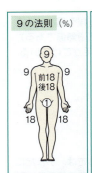
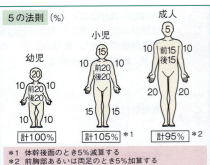

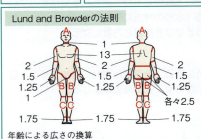
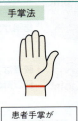

《熱傷の範囲》

> **Memo** 熱傷処置で推奨される軟膏
>
> 推奨度:
> (初期治療)［1D］油脂性基剤軟膏
> (Ⅱ度熱傷)［1A］トラフェルミン,［1B］トレチノイントコフェリル, ブクラデシンナトリウム, プロスタグランジンE1,［2B］アルミニウムクロロヒドロキシアラントイネート (アルクロキサ), リゾチーム塩酸塩

手技は好不調の波がある？

　一通りの手技を終えて一定の自信がついた後に，急に手技がうまくいかなくなることがある．喉頭展開ができない，CVCが入らない，Aラインが入らない，など．そんな場合は必ず基本に立ち返ってほしい．「こうやったらうまくできた」などの成功体験が，基本を鈍らせ，いつの間にか自己流になっていることが少なくない．不調だ…などと嘆く前にまずは基本である．基本を踏まえた上で数多くのバリエーションを試すことができるようになれば，好不調の波は少なくなるだろう．

27 感染制御

Infection control

●概念・目的
- 診療行為による感染症の拡大を予防する．また，感染症が発症した場合にこれを周囲に広げないよう対策をとる．
- 以下の3つが医療行為による感染対策の柱となる．
  ①患者に感染させない．
  ②医療者が感染しない．
  ③院内で感染を広げない．

予防接種

医療者が予防接種で抗体獲得をしていることは医療者自身を守るだけではない．診療する患者，患者家族，他の医療スタッフの感染予防にも役立つ．

※なお，医療者の予防接種は任意接種であり，予防接種法の定める補償の対象ではない．

■予防接種の種類

疾患	ワクチン
1. 麻疹	MRワクチン
2. 風疹	MRワクチン
3. 水痘	水痘ワクチン
4. 流行性耳下腺炎	おたふくかぜワクチン
5. B型肝炎	HBVワクチン
6. インフルエンザ	インフルエンザワクチン
7. 結核	BCG
8. COVID19	新型コロナウイルスワクチン

- 爪は短く切っておく．
- 髪は短くするか，まとめておく．
- 診療中は基本的に腕時計はしない（感染源となる）．
- 診療の前後には必ず手洗いをする．

- 白衣や，術衣の上着ポケットにペンなどを入れておくと，屈んだ姿勢をとったときに落下するので，取り除いておく．
- 聴診器やPHSを首からかけたまま診療行為をすると，患者さんに当たることがあるので，注意する．
- 長い白衣で屈むと，白衣の裾が床に着き不潔になることに留意する

- 予防接種で予防可能な病原体は抗体獲得しておく（アレルギー，妊娠中などのチェックは必要）．
- 臨床実習前に予防接種を受けた場合も，抗体が獲得できているか確認すること．

＊3回接種は，1カ月間隔で2回，その5〜6カ月後に1回接種．
＊＊結核に関しては感染がないことの確認．胸部レントゲン写真や症状と合わせて判断する．陰性でも一般成人と同様にBCG接種は推奨されていない．

ワクチンの種類	抗体獲得者と判断する基準
生	IgG-EIA 2.0 以上
生	HI法 16倍以上
生	IAHA法 4倍以上
生	IgG-EIA 2.0 以上
不活化	HBsAb 10IU/L 以上＊
不活化	（毎年接種）
乾燥（生）	（IGRA＊＊）
mRNAなど	2回の接種完了後，3回目でブースターなど

手洗い

《手洗いが不十分になりやすい箇所》
色の濃い部分ほど不十分になりやすい

スタンダードプリコーション（標準予防策）

- CDCの提唱するスタンダードプリコーション（標準予防策）とは，感染症が明らかになっているかどうかにかかわらず，すべての医療行為において，患者の血液，体液（唾液，胸水，腹水など，ただし汗は除く），排泄物，粘膜，損傷している皮膚は感染の可能性のあるものとして，一律の感染予防をしようという考え方である．
- 患者の症状，医療行為の種類によって，感染防護具の種類は変わる．
  （☞ p. 4「COVID-19時代のPPEの着脱」を参照）
- 感染防護具の廃棄にも注意が必要である．

- 手洗いの方法を知らない医療者はいないだろうが，毎日の診療で実践することが重要．
- 不十分な手洗いが原因で感染症を招くようなことがあってはいけない．

Memo　手指衛生5つのタイミング

①患者に触れる前．
②清潔/無菌操作の前．
③体液に曝露された可能性のある場合．
④患者に触れた後．
⑤患者の周辺の物品に触れた後．

- 環境，医療行為で接するものすべての感染源（菌やウイルス）を排除することは不可能である．
  ▶できることは，感染経路を断つこと．

- 未滅菌手袋も1患者の処置が終われば廃棄する（他の患者の診察やカルテ記載のときにそのままの手袋を着用しないこと）．

血液曝露事故防止

針,ガイドワイヤーなどは速やかに専用ボックスへ廃棄

清潔域でも針や刃をまとめておく方法

> **Memo** バイオハザードマークの表示
>
> - 厚生労働省より,感染性廃棄物を入れた容器には,関係者が一目で感染性廃棄物であることを識別できるように「バイオハザードマーク」の添付が奨励されている.
> - 感染性廃棄物とは,医療機関で発生する廃棄物のうち感染のおそれのある廃棄物(注射針,メス等),他の廃棄物と分離して保管,収集,処分することが義務付けられている.
> - バイオハザードマークは廃棄物の種類によって下記のとおり3種類ある.
>
> | マークの色 | 内容物 | 梱包法・容器の材質等 |
> |---|---|---|
> | 赤 | 血液など液状,泥状のもの | 廃液等が漏洩しない密閉容器 |
> | 黄 | 注射針,メスなど鋭利なもの | 耐貫通性のある堅牢な容器 |
> | 橙 | 血液が付着したガーゼなど固形状のもの | 丈夫なプラスチック袋を二重にして使用 |

- 道具,廃棄物処理,患者体位など十分に環境を整える.
- 特に慣れない手技を行うときは,十分にシミュレーションを行う.
- トラブルシューティングをする.
- あせったり,疲労している状態で行わない.

- まず,血液曝露しない環境を整備する.
  ①患者に対する清潔域の確保と同時に,医療者が血液などに曝露しない標準予防を徹底する.
  ②血液など患者体液に接触した医療廃棄物の破棄.
  ③針は直ちに針捨てボックスに捨てる.
- 使用した器材を看護師などに渡す際は,針やメス刃などの危険物を分かりやすく示し,確実に行う.
- 万一手技中に針を医療者の指に刺してしまうなどの血液曝露事故が起きたら,速やかに手技から外れ,流水でキズを洗い,各施設の手順に応じた対応をする.
(☞『当直医マニュアル』の「針刺し事故など血液曝露事故時の対応」を参照)

消毒薬

病原体により有効な消毒薬は異なる．また，手指消毒や創傷処置に用いることのできる消毒薬と，床や手すりなどの環境の消毒に用いることができる消毒薬は異なるので注意すること（例えば，新型コロナウイルス（SARS_CoV_2）やノロウイルスなどに対して，患者が接触した場所や機材，病室などは0.1％（1,000ppm）程度の次亜塩素酸ナトリウム液で清拭するが，これを医療者や患者の生体の消毒や室内気の消毒として空中に噴霧することはできない）．

創傷処置に用いる消毒薬の種類と特徴

消毒薬（商品名）	創傷部位
ポビドンヨード （イソジン，ネオヨジン，ネグミンなど）	10％→皮膚，粘膜 5％産婦人科クリーム→外陰部，腟 7％ガーグル→口腔内
グルコン酸クロルヘキシジン （ステリクロン，ヒビテン，ヘキザック，マスキンなど）	0.05％水溶液→皮膚 0.02％水溶液→産婦人科・泌尿器科における外陰，外性器の皮膚
塩化ベンザルコニウム （オスバン，ザルコニンなど）	0.01～0.025％→皮膚，粘膜
塩化ベンゼトニウム （ハイアミン，ベゼトンなど）	0.01～0.025％→皮膚，粘膜

- 消毒で高い殺菌力を得るためには，塗布後一定の時間が必要である．
- 例えば，ポビヨンヨードでは2～3分間とされるが，目安としては乾燥するまで処置を待つことである．

抗微生物スペクトル	副作用
一般細菌，緑膿菌，MRSA，結核菌，真菌，一般ウイルスに有効 HIV：有効 HBV：効果弱い HCV：無効	接触性皮膚炎（溶液状態で起こるので乾燥させる） 甲状腺機能異常 アナフィラキシー症状
一般細菌（MRSA，緑膿菌，真菌には効果弱い，一般ウイルス，結核菌には無効）	接触性皮膚炎 アナフィラキシー症状
一般細菌（MRSA，緑膿菌，真菌には効果弱い，一般ウイルス，結核菌には無効）	接触性皮膚炎 アナフィラキシー症状
一般細菌（MRSA，緑膿菌，真菌には効果弱い，一般ウイルス，結核菌には無効）	接触性皮膚炎 アナフィラキシー症状

破傷風対策

- まず,外傷が破傷風を発症する危険が大きいかどうか,評価を行い,以下のフローチャートに従って予防策を.

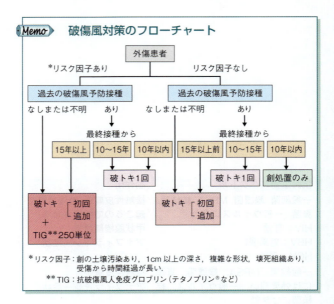

- 本邦の破傷風の予防接種は世代(生まれた年)によって異なる.法定接種となったのは,1968年(昭和43年)から.以後改定がくり返され,2012年(平成24年)からは,DPT-IPV(4種混合ワクチン)が定期接種となっている.
- 破傷風予防接種歴と,最終追加接種からどれくらいの時間が経っているのか,および外傷の破傷風に関するリスク因子を評価して,破傷風トキソイドとグロブリンの必要性を判断する(フローチャート参照).

破傷風を発症する危険が高い創
- 土壌汚染されている.
- 発症から6時間以上経過している.
- 創が1cmより深い.
- 創の形状が複雑である（挫創，弁状創など）.
- 創に壊死組織を含む.

ALSアルゴリズム

心停止アルゴリズム（JRC蘇生ガイドライン2020準拠）

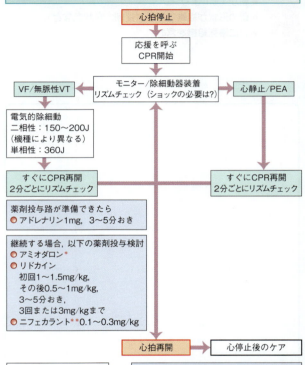

Point
- 絶え間ない胸骨圧迫！
- 挿管などの手技による胸骨圧迫中断時間をできるだけ短縮する（除細動充電中も継続）.

Point

CPR
- 人工呼吸：1分間に8～10回. 軽く胸が上がる程度（☞ p. 20 ～）.
- 胸骨圧迫：1分間に100～120回のペース（☞ p. 48 ～）.
- 気管挿管前　30：2　同期して
- 気管挿管後　非同期で1分間に10回

Point
- 明らかな体動出現以外では2分間のCPRは中断しない.

Point
- 気管挿管は必須ではない.
- バッグバルブマスクで十分な換気ができていれば気管挿管は必ずしも必要ではない.

Memo　薬剤投与路の優先順位
1. 末梢静脈
2. 骨髄
3. 中心静脈

Memo　原因検索の4つの「か」
- 患者
- カルテ
- 家族
- 簡単な検査

Memo　原因検索鑑別診断 "6H5T"
- **H**ypovolemia：循環血液減少
- **H**ypoxia：低酸素
- **H**ydrogen ion：アシドーシス（水素イオン）
- **H**ypo/Hyperkalemia：低/高カリウム
- **H**ypoglycemia：低血糖
- **H**ypothermia：低体温
- **T**oxin：中毒
- **T**amponade：心タンポナーデ
- **T**ension pneumothorax：緊張性気胸
- **T**hrombosis：血栓症
- **T**rauma：外傷

付 糸結び（結紮）

● 目的
- 皮膚・血管・腸管などの縫合を，確実に完遂するために行う．

● 結紮方法の種類

■ 片手結び
- 片手結びは主に片手の指だけでループに糸をくぐらせて結紮する．

- 片手結びだけでは糸の緊張を保ちながらの結紮はできない．

■ 両手結び
- 両手結びは両手の指を用いてループに糸をくぐらせて結紮する．
- 両方の糸の緊張を保って結び目に等分の力を加えながら結紮できるので，第1結紮を緩めずに第2結紮を行える．

- 片手結びよりも，やや広い空間と時間を必要とする．

■ 器械結び
- 指の代わりに持針器などの手術器具を用いて，ループに糸をくぐらせて結紮する．持針器のほかにコッヘル鉗子や摂子などを用いても結紮できる．
- 糸の緊張を保ちながらの結紮はできないため，第1結紮には緩み防止に外科結紮が有用．
（手順については☞p. 240「皮膚縫合」を参照）

結紮の種類

■単結紮
- 結紮の基本的要素であり，単結紮が2つ以上組み合わさって確実な結紮となる．
- 単結紮の結紮回数は，絹糸の場合で最低2回，重要な結紮は3回結ぶ．バイクリル®などの合成繊維の編み糸では4回以上，PDS®Ⅱなどの合成繊維のモノフィラメントでは6回以上の単結紮を要する．
- 同じ結紮を2回重ねると女結びとなり，右回りと左回り単結紮を重ねると男結びとなる．

■女結び（グラニー・ノット）
- 同じ単結紮を繰り返すことで完成させる．

- 緩みやすいので注意する．

■男結び（スクエア・ノット）
- 2種類の単結紮を組み合わせる．

- ロックがかかってしまうため，一度緩んだら結び直しが必要となる．

■外科結紮

- 弾力のある組織や，緊張の強い組織を縫合する際に用いる．
- 1回の結紮で糸を2回締める．

- 弾力のない組織や細い組織では，結び目が大きいために隙間が生じ，むしろ結紮不十分になる．

▼ 片手結び（左手結紮）手順

1 糸をクロスさせ，左右の第1，2指で糸をつかむ．

2 左手を回外させ，第5指の側面に左手の糸（赤）が当たるようにする．
右手の糸（青）を左手の第3指の母指側に当てるようにかける．

3 左の第3指を曲げ（青糸を指腹側でひっかけるように），

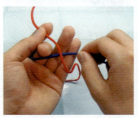

4 左の第3指と第4指で赤糸を挟む．

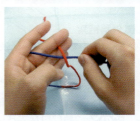

5 左の第3，4指で赤糸を挟みながら，赤糸と青糸で作ったループ内をくぐるように手前に引き寄せる．

▼ 両手結び 手順

1. 両方の第1, 2指で糸をつかむ（糸は指腹側にくるように）.

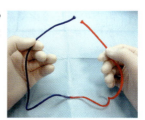

2. 右手を大きく回し，左手の第1指の指背に右手の糸（赤）が乗るようにし，左の第3, 4指の間で赤糸をつかむようにする.

3. 右手を赤糸から離し，青糸をつかむ．左の第3, 4指で赤糸をつかんだまま，赤糸と青糸で作ったループ内をくぐらせる.

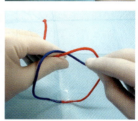

4. そのまま左右の糸を両側に引っ張る.

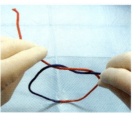

5. 完成.

▼ 外科結紮 手順

1. 両方の第1, 2指で糸をつかむ（糸は指腹側にくるように）.

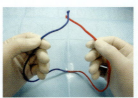

2. 右手を大きく回し，左手の第1指の指背に右手の糸（赤）が乗るようにし，左の第3, 4指の間で赤糸をつかむようにする.

3. 右手を赤糸から離し，青糸をつかむ．左の第3, 4指で赤糸をつかんだまま，赤糸と青糸で作ったループ内をくぐらせる.

4. 結び目を左の第1指指腹で支持しながら，

5. 左手の第1, 2指で青糸をつかんで，もう一度赤糸と青糸で作ったループ内をくぐらせる（このとき右手でつかんでいた青糸をいったん離す）.

6. 右手でくぐらせた青糸をつかんで，両側に引っ張る.

付 自己評価表

	項目名	ページ	本書を読んだ	シミュレーションした	見学を行った
	記入例		3/1, 4/2	3/1, 4/3	5/1, 5/2, 7/12
0	COVID-19時代のPPEの着脱	4-11			
1	気道確保	12-19			
2	人工呼吸	20-27			
3	気管挿管	28-47			
4	胸骨圧迫	48-53			
5	除細動				
	非同期電気ショック（除細動）	54-61			
	同期下カルディオバージョン	62-65			
	経皮ペーシング	66-71			
6	圧迫止血法	72-77			
7	包帯法	78-81			
8	注射法				
	皮内注射	82-85			
	皮下注射	86-89			
	筋肉内注射	90-93			
9	点滴法	94-99			
10	末梢静脈確保	100-103			
11	中心静脈カテーテル挿入	104-141			
12	採血法				
	静脈採血	142-147			
	動脈採血	148-157			
	動脈圧ライン（Aライン）	158-167			

指導下で施行した	一人で施行した	本書を再読した	後輩・同僚に指導した	メモ・備考・課題など
6/1 △, 7/15 ○	8/2 △, 8/26 ○	6/2, 12/14, 2/16	3/9, 4/19	エコーの準備, *NEJM* 2010 ** p.43〜50（参）

付

	項目名	ページ	本書を読んだ	シミュレーションした	見学を行った	
	記入例		3/1, 4/2	3/1, 4/3	5/1, 5/2, 7/12	
13	腰椎穿刺	168–175				
14	骨髄穿刺	176–181				
15	胸腔穿刺	182–193				
16	腹腔穿刺	194–199				
17	導尿法・尿道カテーテル留置	200–205				
18	ドレーン・チューブの管理	206–211				
19	胃管の挿入と管理	212–221				
20	局所麻酔法	222–227				
21	創部消毒・ガーゼ交換	228–233				
22	簡単な切開排膿	234–239				
23	皮膚縫合	240–249				
24	軽度外傷の処置					
	擦過傷・切傷・挫創	250–257				
	打撲・捻挫・(転位のない骨折)	258–265				
25	脱臼の徒手整復					
	顎関節	266–267				
	肩関節	268–270				
	肘内障	270–271				
26	軽度熱傷の治療処置	272–275				
27	感染制御	276–285				
付	ALSアルゴリズム	286–287				
付	糸結び(結紮)	288–293				

指導下で施行した	一人で施行した	本書を再読した	後輩・同僚に指導した	メモ・備考・課題など
6/1 △, 7/15 ○	8/2 △, 8/26 ○	6/2, 12/14, 2/16	3/9, 4/19	エコーの準備, *NEJM* 2010 ** p.43 〜 50（参）

付

索引

青太字は項目タイトルとその冒頭頁

あ

アレンテスト 155
圧迫止血法 72
胃管 213
胃管の挿入と管理 212
一次縫合 240
糸結び 288
犬咬傷 252
エアウェイ 16
エアウェイスコープ（AWS） 43
エア針 99
エコーガイド下リアルタイム穿刺 104, 116
壊死性筋膜炎 237
塩化ベンザルコニウム 282
塩化ベンゼトニウム 282
男結び（スクエア・ノット） 289
女結び（グラニー・ノット） 289

か

カウサルギー 143
カテーテル関連血流感染症（CRBSI） 140
ガーゼ交換 228, 232
ガス壊疽 237
下顎挙上法 14
回復体位 15
開胸心マッサージ 50
開放療法 240
片手結び 288, 290
感染制御 276
簡易酸素マスク 18
キサントクロミー 175
気管挿管 28
気道確保 12
気道熱傷 273

器械結び 246, 288
胸腔ドレーンバッグ 191
胸腔穿刺 182
胸骨圧迫 48
局所浸潤麻酔 224
局所麻酔法 222
局所麻酔薬 222
局所麻酔薬中毒 227
筋肉内注射 90
グラニー・ノット 289
グルコン酸クロルヘキシジン 282
ケタミン 39, 71
外科結紮 289, 292
経口エアウェイ 12, 16
経皮ペーシング（TCP） 66
経鼻エアウェイ 12, 16
軽度外傷の処置 250
軽度熱傷の治療処置 272
血液曝露事故防止 280
結紮 288
結節縫合 242
コッヘル法 268, 269
コンパートメント症候群 264
個人用防護具 4
骨髄穿刺 176

さ

サージカルマスク 9
挫傷 251
挫創 251, 251
採血法 142
擦過傷 250
酸素療法 18
シリンジポンプ 95
ジャクソンリース 20, 21
支配動脈圧迫 74
湿布 261
除細動 54
消毒 228, 228, 230

299

消毒薬　282
静脈採血　143
心停止アルゴリズム　286
心肺脳蘇生術　48
伸縮包帯　78
神経ブロック　226
人工呼吸　20
人工呼吸器の設定　46
人工鼻　20
迅速気管挿管　39
スキンステープラー　248
スクエア・ノット　289
スタイレット　29
スタンダードプリコーション　278
ステリテープ　249
垂直マットレス縫合　244
セルジンガータイプ　105
切開排膿　234
切傷　251
挿管チューブ　29
挿管後の急変　37
挿管困難の予測　38
創傷被覆材　257
創部消毒　228

た

ターニケット　75
タイベック　11
大腿動脈穿刺　151
脱臼の徒手整復　266
単結紮　289
単相性除細動器　55
弾性包帯　78
遅延一次縫合　240，241
中心静脈カテーテル挿入　104
肘内障　270
肘部皮静脈穿刺　132
注射法　82
手洗い　278
点滴速度　94
点滴法　94
伝達麻酔　226
トーマスチューブホルダー　36
ドレーン　206

ドレーン・チューブの管理　206
ドレナージ　206
橈骨動脈穿刺　154
頭部後屈あご先（頤）挙上法　14
頭部後屈あご先挙上　12
同期下カルディオバージョン　62
動脈圧ライン　158
動脈採血　148
導尿法　200

な

二次縫合　240，241
二相性除細動器　55
乳児の蘇生　53
尿道カテーテル　201
尿道カテーテル留置　200

は

バイオハザードマーク　280
バッグバルブマスク　20，21
バッグバルブマスク換気　22
破傷風対策　284
鼻カニュラ　18
ヒト咬傷　252
ビデオ喉頭鏡　40
ピールオフタイプ　105
皮下注射　86
皮内注射　83
皮膚縫合　240
非侵襲的陽圧換気　26
非同期電気ショック　55
鼻出血　76
一人バッグバルブマスク法　22
標準予防策　278
フィーディングチューブ　213
フェンタニル　71
プロポフォール　39，71
腹腔穿刺　194
腹水濾過濃縮再静注法　199
複合性局所疼痛症候群　143
分注ホルダー　147
ベンチュリーマスク　19

ポビドンヨード　282
保護材　257
包帯法　78

ま

ミダゾラム　39, 71
滅菌　228

や

輸液ポンプ　95
予防接種　276
用手圧迫法　72
用手的気道確保　14
腰椎穿刺　168

ら

リザーバー付き酸素マスク　18
リドカイン塩酸塩　222
両手結び　288, 291
良肢位　260
ロクロニウム　39

わ

ワクチン接種に関連した肩関節障害　90

欧文

ALSアルゴリズム　286
Aライン　159
BURP法　37
Canada C-spine Rule　263
CART療法　199
causalgia　143
Cormack分類　38
CPR（cardio pulmonary resuscitation）　48
CRBSI　140
CRPS（complex regional pain syndrome）　143
DOPE　37
EC法　22
$EtCO_2$モニター　20, 44
fighting　20
Fournier症候群　237
HEPAフィルター　20
HFNC（high flow nasal cannula）　19
Kocher's method　268
landmark technique　104
landmark法　126
LEMON法　38
Light基準　193
Mallampati分類　38
McGRATH™ MAC　41
modified Allen test　155
N95マスク　9
NPPV（noninvasive positive-pressure ventilation）　26
Oberst法　226
Ottawa Ankle Rule　262
Ottawa Knee Rule　263
PICC（peripherally inserted central catherter）　132
PPE（personal protective equipment）　4
PPEの着脱　4
PSA（procedural sedation and analgesia）　70
RSI（rapid sequence intubation）　39
"RICE"　261
Sellick法　37
SIRVA（shoulder injury related to vaccine administration）　90
Sniffing position　31
sweep scan technique　116
swing scan technique　117
TCP（transcutaneous pacing）　66
"VAN"　151

研修医手技マニュアル(第3版) ISBN978-4-263-73204-5

2010年9月25日	第1版第1刷発行
2016年9月25日	第2版第1刷発行
2022年3月25日	第3版第1刷発行
2025年1月10日	第3版第2刷発行

編集 井 上 賀 元
　　　奥 永 　 綾
　　　小 出 正 樹
発行者 白 石 泰 夫
発行所 医歯薬出版株式会社

〒113-8612　東京都文京区本駒込1-7-10
TEL. (03) 5395-7640 (編集)・7616 (販売)
FAX. (03) 5395-7624 (編集)・8563 (販売)
https://www.ishiyaku.co.jp/
郵便振替番号 00190-5-13816

乱丁,落丁の際はお取り替えいたします

印刷・壮光舎印刷／製本・榎本製本

©Ishiyaku Publishers, Inc., 2010, 2022. Printed in Japan

本書の複製権・翻訳権・翻案権・上映権・譲渡権・貸与権・公衆送信権(送信可能化権を含む)・口述権は,医歯薬出版(株)が保有します.
本書を無断で複製する行為(コピー,スキャン,デジタルデータ化など)は,「私的使用のための複製」などの著作権法上の限られた例外を除き禁じられています.また私的使用に該当する場合であっても,請負業者等の第三者に依頼し上記の行為を行うことは違法となります.

JCOPY ＜出版者著作権管理機構 委託出版物＞

本書をコピーやスキャン等により複製される場合は,そのつど事前に出版者著作権管理機構(電話 03-5244-5088,FAX 03-5244-5089,e-mail: info@jcopy.or.jp)の許諾を得てください.